Einaudi. Stile Libero Extra

Luciana Littizzetto e Franca Valeri
L'educazione delle fanciulle

Dialogo tra due signorine perbene

A cura di Samanta Chiodini

Einaudi

L'educazione delle fanciulle

FRANCA VALERI   Non ricordo che mi si sia mai prospettato un comportamento da «signorina». Ma i comportamenti a dispetto delle imposizioni si respirano.

La mamma andava qualche volta al ricevimento di nozze della figlia di un collega di papà e tornava annoiata dicendo: «Hanno avuto fortuna, perché è proprio bruttina». Il matrimonio, un buon matrimonio, era il coronamento dell'impegno assunto mettendo le figlie al mondo. Bomboniera d'argento contro regalo d'argento. La figlia della cuoca, che aveva destato qualche preoccupazione perché era non si sa come molto bella, mandava tramite la madre un piattino di porcellana contro un servizio da caffè di porcellana. Un abisso fra i viaggi di nozze: un mese tra Parigi, Vienna e Budapest contro tre giorni a Venezia. Poi, la vita. Che cosa era successo prima?

L'educazione (termine vago che comprende il mondo) era assolutamente in base alle possibilità finanziarie. Mi direte: anche adesso. No, adesso ci sono anche altri problemi per concedersi questo lusso. Perché voi avete un altro «ieri». La giovinetta respirava in tutto il suo quotidiano il timore del peccato. Mancavano alla liberalizzazione due elementi fondamentali per l'evoluzione a venire: il divorzio e la televisione. Senza quei due bene o male uniti, e senza scene di sesso in corso, anche in cucina era facile considerare il bacio (semplice sfioramento di labbra, ben inteso) come un atto punibile da Dio. Con questa certezza, accompagnata da molta ignoranza, il matrimonio era un miraggio. Almeno l'ottanta per cento delle fanciulle ci arrivava, come dicono al Sud, «integra». Questo permetteva ai pranzi di nozze un po' sempliciotti certi sgradevoli lazzi allusivi da parte degli uomini.

Tutto ciò è ormai impensabile.

LUCIANA LITTIZZETTO   Tu vieni da una famiglia borghese, mentre la mia era una famiglia popolare. Certo, anche a me hanno insegnato il rispetto nei confronti degli altri e valori importanti come i tuoi, però mi sono mancate le «convenzioni». Non ricordo che sia mai stata organizzata una cena in casa quando ero piccola. A parte comunioni e cresime e quelle robe lí, dico. Non si facevano incontri mondani. I miei erano lattai e arrivavano a casa dal negozio che erano sfrantecati. Non ne potevano piú di vedere gente. Erano molto cattolici, molto Dc, quindi molto regular, e quindi erano ancora meno propensi alle svirgolate. E comunque anche la mia educazione è stata piuttosto rigida. Ero pure figlia unica, figurarsi, e donna, a tutti gli effetti un'aggravante. Mia mamma ancora adesso, se incontriamo una persona che conosciamo, mi dice: «Saluta». Ho quarantasei anni, non so, vedi tu. «Saluta». Cioè, io l'ammazzerei, tutte le volte. Quando ero piccola il suo ammonimento principe era: «Comportati bene, devi essere una brava ragazza». E la «brava ragazza» si cementava la jolanda e dall'ombelico in giú non sapeva che cos'aveva a disposizione. Era tipo la Barbie. Un blocco unico, di plastica, senza possibilità di interazione con gli altri. Dici che negli anni Trenta il sesso era un atto punibile da Dio, ma anche per me la verginità era un valore, anche se poi si è persa quasi subito, però con molto senso di colpa. Oltretutto, per non farmi mancare niente, sono reduce da una scuola di suore. Quindi rispetto ad altre donne della mia generazione non ho potuto tanto praticare, sono stata chiusa in galera col 41 bis, e questa cosa delle cosce capricciose me la sono portata avanti nel tempo... Se guardo al mio caso, la differenza vera mi sembra l'idea del matrimonio. Hai detto che ai tuoi tempi era un miraggio, il coronamento dell'impegno assunto mettendo una fanciulla al mondo. Be', personalmente al matrimonio non ho mai creduto, né come sacramento né tantomeno come istituzione, come promessa. Ho sempre avuto delle relazioni lunghe, sono una monogama seriale, ma non riesco a pensare che una cosa sia per sempre. Cosa c'è per sempre? Niente. La Carrà, forse, e Pippo Baudo. Per il resto non c'è nulla per sempre. Come faccio a dire che ti amerò per sempre? Ti posso promettere che ti amerò piú che posso, ma non per sempre.

Forse una volta si viveva come se le cose potessero durare per tutta la vita e il futuro fosse piú o meno già scritto e ogni tappa stabilita in partenza. Ora no. Io posso dire ti amo. Ma non è detto che sia per sempre.

FV   Ma quel lasso di tempo fra le elementari e il matrimonio andava riempito. Gli anni Trenta qui in questione venivano in linea di asse ereditario dall'Ottocento e non avevano sinistri presagi per il futuro del Novecento. Il charleston? I vestiti corti (insomma al ginocchio)? Stiamo parlando di giovinette, non di Hollywood.

Mi azzardo a sostenere che nelle famiglie cosiddette perbene ci si rifacesse in gran parte al tipo di allevamento avuto dalle madri, con qualche ritocco: meno suore, meno ricamo, meno galateo. Salvo il piccolo inchino quando il babbo diceva agli ospiti: «E questa è mia figlia Sofia».

L'inchino borghese si limitava all'abbassamento, parziale e rapido, di una gamba.

LL   Allora, riassumendo: meno ricamo, meno galateo e meno suore.

Ricamo... be', mia mamma era camiciaia, quindi ha provato a insegnarmi, poi ha smesso. Non ho imparato niente perché lei si spazientiva e io piú di lei. Galateo – come ti ho detto – a casa mia, poco. Inchino!? Mai fatto. Anche adesso alla fine degli spettacoli non riesco. Sto lí ferma e rido. Un'idiota.

In compenso di suore ne avevo a mazzi, come gli asparagi. Perché i miei pensavano che mettendomi dalle suore entrassi nel percorso della regola. Invece, per come sono fatta io, dove c'è una regola, devo trasgredirla. Probabilmente se fossi andata in una scuola pubblica sarei stata meno trasgressiva, anche se la mia trasgressione era abbastanza all'acqua di rose. Non facevo niente di che. Non so, alzavo gli occhi al cielo, sbuffavo, facevo le smorfie, dicevo qualche stupidaggine. Per cui mi mandavano sempre fuori dalla classe. Una volta la preside mi ha detto: «Littizzetto, se ce ne fossero anche solo due come te chiuderemmo la scuola». Era una scuola solo di donne, col grembiule nero che doveva essere sempre lavato e stirato. Una pizza. Il sabato lo appallottolavo nella cartella e mi dimenticavo. Quando al lunedí lo tiravo fuori, era tutto stropicciato, con ancora i segni del formaggino del sabato pomeriggio. Per fortuna avevo dei permessi per uscire dal collegio e andare al conservatorio, dove c'erano degli sgarruppati fuori di testa coi capelli verdi che mi attiravano molto. Però poi mi sentivo in colpa e tornavo dentro le mie patrie galere. Per cui sí, i primi chupa dance sono stati proprio coi compagni del conservatorio, questa gente un po' tuonata che poi ho sempre prediletto, nel mio book. Non ho mai avuto il ragioniere o l'impiegato del catasto... sempre tanta gente disturbata. Ragguardevoli cretini. Mi guardavo in giro e mi informavo per fiondarmi nelle situazioni meno regolari, meno adatte. Destinate a degli end pochissimo happy.

FV   Anche allora la fanciulla accorta aveva qualche possibilità in piú di informarsi. Un termine di cui mi pare si sia perso l'uso, ma che ricordo chiaramente, era «adatto e non adatto». Prima di portare la fanciulla a uno spettacolo la possibilità

era ben vagliata, col risultato di gettarla in un pe-
renne sogno proibito. La fantasia femminile è un
dato di fatto che attraversa i secoli, figuriamoci
gli anni Trenta.

Cara Luciana, la ragazza di oggi magari fantastica,
ma su dati reali; è certo che quella di ieri, usando
lo stesso verbo, fantasticava veramente.

Primo capitolo. L'obiettivo primo della fantasia
femminile è l'amore. In quegli anni che ci com-
petono è stato un sentimento vago, nell'immaginazione sempre ricambiato da un «lui», con
gestualità imprecisa e talmente fuori dalla realtà
da non destare alcuna apprensione. Insomma, il
sesso non partecipava. Essendo sconosciuto, non
adatto all'età.

LL   Vedi, Franca, anche noi fantasticavamo sul principe azzurro. Però non era l'obiettivo finale. E comunque prima dovevi verificare se era veramente
azzurro, o se invece tendeva al verde rospo o era
mogano perché si faceva troppe lampade. Avevamo già chiara l'idea che fosse normale baciare
un sacco di principi per scovare quello che non ti
allappava la lingua come i cachi acerbi. Tutto per
trovare l'incastro magico, che poi si incastra fino
a un certo punto perché dopo un po' (sperimen-
tato) non si incastra piú, e non capisci se sei cambiata tu, se è cambiato lui o se siete cambiati tutti
e due, oppure se l'incastro era proprio difettoso
dall'inizio. Adesso, dopo un po' di esperienza, ho
capito che il mio principe azzurro deve essere un
po' matto, un po' saldo, un po' spiritoso, un po'
generoso, che un po' la pensi come me e un po' no,

e che mi faccia ridere e non mi annoi. Ma a quei tempi il mio primo principe azzurro in carne e ossa era un diciassettenne, intelligente, bruno e con i piedi abbastanza piatti, soprattutto uno dei due. Aveva una bella bocca. E rideva molto, molto bene. Aveva i capelli lisci, neri, tipo spaghetti al nero di seppia. E delle bellissime mani affusolate che non c'entravano molto col suo corpo. Però le mani erano bellissime. Ci sono stata un sacco di tempo, da quando avevo diciassette anni fino ai ventisei. Ci siamo amati dell'amore puro e incontaminato della giovinezza, poi lui ha deciso di lavorare in Sardegna, si è trasferito là e io non l'ho raggiunto. Non ce la facevo. Aveva un solo enorme difetto: una voce stranissima, un po' da papero. Spesso lo prendevano in giro. Però a me faceva ridere. Il tuo com'è stato?

FV   Non saprei cosa opporre al tuo primo amore, registrato dalla tua memoria con molti difetti e molto amore. Non ne ho uno in mente. Volti, nomi, curiosità, scambi di idee tanto da farmi dire: «Però!» Ma se un amore vero viene molto tardi nella giovinezza non ha piú il diritto di qualificarsi come «il primo amore».

LL   Continuo a stupirmi quando leggo le tue cose o sento i racconti di mia mamma che è stata fidanzata soltanto con mio papà e mi sembra una roba pazzesca.
Tornando a quello che dicevi, ai miei tempi il sesso «partecipava» eccome, però anche noi fantasticavamo soprattutto sull'amore. Forse semplicemente

avevamo un po' piú di disincanto. La realtà non è come le fiabe che finiscono sempre con il classico: «E vissero tutti felici e contenti». Ecco. Io vorrei alla mia età una fiaba che iniziasse con: «E vissero tutti felici e contenti» e mi dicesse com'è che si deve fare a vivere felici e contenti... Cavolo... Perché noi pulzelle abbiamo ancora bisogno che il principe azzurro ci dica delle cose, ma non cose del tipo: «Guarda che ti scade il bollo della patente», cose d'amore, dannazione! Agogniamo l'assoluto. Vogliamo credere che siamo fatti proprio l'uno per l'altra. Fred Vargas dice che l'amore ti mette le ali per segarti le gambe, ed è proprio cosí. E la povera Amy Winehouse cantava *Love Is a Losing Game*, un gioco in cui si perde, accidenti. Ma ripeto: anche noi fantasticavamo sull'amore, in assoluto! La nostra educazione sessuale è stata prima di tutto un'educazione sentimentale. Non dimentichiamo che siamo figlie di Grecia Colmenares, di *Topazio*, *Sentieri*, *General Hospital*, piú avanti di *Beautiful*, di Ridge che cade nel forno e poi risorge, e il nostro immaginario non poteva che esserne influenzato. Invece le ragazze della tua generazione come immaginavano l'Amore? A chi pensavano?

FV Quegli amatori irreali avevano spesso un volto, la fanciulla non immaginava fanciulli, ma uomini, sempre assorti, sempre magri, sempre eleganti, sempre discreti. Solo e non prima dei sedici anni il fantasma ha cominciato a prendere qualche volto: un amico inglese, un professore, un divo, suscitando rossori all'eventuale apparizione in carne e ossa. Comunque sempre deludente (parentesi personale: mi chiedo come mai, obbediente alla disciplina del «non adatto», mi fiondavo liberamente nella grande letteratura).

Ricavando una teoria dai ricordi, dalle confidenze e dai risultati, direi che questo era il principe azzurro degli anni Trenta: un immaginario signore in grigio, un delicatissimo preparatore alle esperienze dell'amore, senza scosse avventurose. L'immaginazione delle fanciulle non andava molto oltre le mura di casa. Sempre a proposito della figlia della cuoca, credo che la sua immaginazione fosse piú realistica per l'uso di una promiscuità piú facile. In ambo i casi il principe aveva smesso di vestirsi di azzurro.

LL Forse letteratura, realtà e immaginazione erano cosí potenti perché quando tu eri piccola la Tv non esisteva ancora. La mia generazione invece è figlia della Tv. A me piaceva Miguel Bosé perché era bello e trasgressivo e in piú non si sapeva ancora che era da bosco e da riviera. Bisessuale, intendo. Mi pare che qualcuno mi avesse regalato il poster di Richard Clayderman, quello con i capelli biondi lunghi e la riga in mezzo che suonava cose terrificanti al pianoforte. Lo trovavo agghiacciante, anche perché i biondi non mi sono mai piaciuti. A me piacevano quelli con i capelli scuri. Cabrini per intenderci. Bettega no, mi dava l'idea di una trota. E poi mi piaceva Richie Cunningham di *Happy Days*, anche se era un po' saputello, un po' signorino tumistufi, un po' Fabio Fazio, per fare un esempio. Però tra Richie Cunningham e Fonzie, io preferivo Richie. Fonzie mi faceva

L'EDUCAZIONE SESSUALE

Una paura ancestrale che hanno le donne è quella di rimanere incinte. È l'incubo di tutte fino almeno ai trentacinque-quarant'anni, quando poi vorrebbero fare ventisette figli ma ormai hanno l'utero d'amianto e non succede niente. Le precauzioni per evitare di restare incinte al momento sbagliato dovrebbero essere una cosa ovvia, inserita nel patrimonio genetico di ogni ragazza, pronta a saltare fuori la prima volta che un ragazzo riesce a infilarsi oltre i sacri recinti degli slip. Il guaio è che le ragazzine hanno un entusiasmo che le porta a strafare, e in più tutte conoscono almeno una coetanea sbadata che prima andava a scuola con loro e adesso passa i pomeriggi al parco a fare le bolle coi bigbabol mentre spinge la carrozzina. Perciò esagerano.

Ne conosco alcune, figlie di amiche e parenti, che prendono la pillola, fanno mettere il preservativo al ragazzo e applicano anche l'Ogino-Knaus, per non sbagliare. Eppure sono mica convinte; sentono che con un tocchetto di spirale starebbero più al sicuro. Queste qua, comunque, sono un po' stressate ma almeno davvero non corrono rischi. Poi ci sono le fantasiose. Quante di noi in gioventú non hanno mai provato con i famosi sistemi fai da te? Quelli senza né capo né coda, che ci si insegnava fra amiche leggendoli chissà dove, o sentendoli dalle comari di famiglia: ricordo una leggenda che circolava, e cioè che se si faceva l'amore e subito dopo si saltava la corda era molto difficile, se non impossibile, restare incinte. Io vorrei sapere quale mente malata si è inventata questo metodo anticoncezionale. Vorrei averla, o averlo, qui e fargli la prova del palloncino al cervello. Dicevano che saltando la corda si impediva allo spermatozoo di intrufolarsi nell'ovulo. Va da sé che nessuna mai aveva il fegato di portarsi dietro la corda e, una volta finito di fare sesso, di dire al ragazzo: «Scusa, Billy, io mi farei due saltelli a scopo anticoncezionale».

La verità è che ancora una ventina di anni fa le ragazze avevano piú paura di ingrassare per colpa della pillola che di restare incinte. E pensare che con la pillola al massimo di chili ne prendevi tre o quattro mentre con la gravidanza sono tredici garantiti. E anche oggi che all'apparenza sappiamo tutto di tutto in realtà i ragazzi non sanno un tubo di contraccezione. Proprio letteralmente, non conoscono il tubo. Pensano che farsi il bidet con la Coca-Cola non ti faccia rimanere incinta, anche fare l'amore in piedi perché gli spermatozoi cascano a terra e si stordiscono, che basti bere tre whisky di fila per non rimanere gravide! Questo, pensano i nostri ragazzi... che il preservativo vada messo *dopo*, per tenere l'attrezzo in ordine come fosse la custodia delle palle da bowling... E pensate un po', adesso arriveranno in commercio anche i preservativi per i dodicenni. Che uno si chiede: cosa avranno di speciale? Ci hanno i Pokémon stampati sopra? Sono a zampa di elefante? Hanno una porta Usb per il collegamento a Facebook? No, sono piú piccoli. Giustamente. Cosí non ballano se no cessa lo scopo, a meno di usare quelli di taglia regolare e mettergli le bretelle.

Però la questione è un'altra. A dodici anni siamo già al chupa, ma questi non sanno una mazza. Fai educazione, vedi che le pillole servono di meno... Il profilattico. Ragazze, dovete insistere perché lui lo usi. Si sa che il maschio è recalcitrante. Fatica a metterlo perché dice che poi non sente niente. E voi dovete rispondere: se te lo metti nelle orecchie poi non senti... Ragazze, tenete duro. Nel senso buono del termine. Oltretutto a dodici anni fa spessore, per dire.

L.L.

paura, era rischioso. Non mi dispiaceva neanche Potsie, però era troppo cretino, non si poteva. Insomma, Franca, tu andavi alla Scala e ti rifugiavi nella grande letteratura, io Potsie! Cioè, capisci quando uno vola basso fin dall'inizio? Come le galline, sí sí, che ci hanno le ali però possono fare al massimo «truc truc truc» e sollevarsi di qualche centimetro.

Parentesi: sarebbe bello che a noi donne fossero rimaste le ali, un po' come le quaglie, che non volano ma ogni tanto si sollevano per spostarsi piú in fretta. Anche perché siam sempre di corsa e quindi un paio d'ali sarebbero utili. Anche quando lavi per terra, se avessi le ali da gallina potresti librarti un attimo e non fare le pedate sul pavimento... A parte questo, la verità è che negli anni Settanta la televisione era già diventata il principale serbatoio della nostra immaginazione.

FV   Una delle conquiste della donna moderna è la soppressione del sogno. A occhi aperti (anche se lui essendo di materia insondabile si può insinuare a tradimento in quelli a occhi chiusi). Insomma, gli uomini sono quelli che vedi e basta. Non è necessariamente una bella razza, ce ne sono di brutti anche fra i calciatori e gli attori di fiction. Molte hanno altre idee; sono «gli uomini», nel caso fossero necessari.

Come vedete, l'immaginazione, segreto veleno del passato, non serve piú. E molte aggiungono: «Se Dio vuole!»

Gli amanti, i mariti, gli assassini consacrati dalla cronaca sono in genere indesiderabili (almeno a vederli in Tv). Chissà com'era il giovane Werther? In fondo è stato solo immaginato.

LL   Forse hai ragione. Io il principe azzurro ho sempre saputo che non esisteva. Oltretutto l'azzurro è anche un colore un po' démodé. Di azzurro ormai ci sono solo qualche camicia a righine di Bruno Vespa e forse qualche pullover di Paolo Crepet. Ma mia figlia e le ragazzette della sua generazione ci credono eccome. Lei si è innamorata di uno stronzo ciclopico che le dà gli appuntamenti e non viene mai, e nonostante tutto continua a difenderlo e dice: «A me piace! Perché sento che è l'uomo della mia vita!» Ecco, magari oggi non si parla piú di principe azzurro, però quando sei piccola dici «l'uomo della mia vita». Quello che ho capito crescendo è che ciascuno vive seicento milioni di vite in una vita sola, quindi uno può essere l'uomo della tua vita nel momento che stai vivendo, poi magari ne viene un altro, poi un altro ancora.

In passato ci sono stati uomini che mi hanno provocato delle accelerazioni del cuore, uno tsunami di serotonina che non sapevo controllare né dire da dove provenisse, da che cosa dipendesse, se dagli ormoni o da quello che lui diceva. Però dentro il cuore sapevo che non sarebbe durata perché erano cose troppo di pancia... di budello gentile... ma non potevo fare a meno di viverle. E meno male! Forse il vantaggio che abbiamo noi donne adesso è questo: possiamo anche permetterci di vivere. Comunque l'amore è un vero casino. E gli uomini lo sono anche di piú. Nulla è sicuro. Io, per esempio, ho una sola certezza sugli uomini: che un uomo in salopette non potrà mai essere sexy. E che un uomo che si mette i calzini bianchi corti è quasi sempre un cretino.

Tu, Franca?

FV   Quella fanciulla, che adesso è sugli ottanta, non ha mai sognato un uomo vestito male, che certo mai si vuole. Dal punto di vista anatomico non le si muoveva la fantasia. Molte incertezze. Anche la figlia della cuoca non andava oltre una camicia aperta e un fazzoletto al collo, preferibilmente rosso. Poi la vita dà le sue bastonate. Mi pare che ci si accontenti, fisicamente parlando, di come appare un uomo. Vestirlo bene lo proteggeva. Ha resistito un po' allo sbrigliamento della donna e poi ha ceduto. Certi grossi stomaci debordanti dalle cinture (basse) mi sembrano un rimprovero. Care fanciulle del Duemila, non crediate di avere scoperto la luna, la vostra liberalizzazione ha avuto una lunga incubazione.

LL   Ti confesso un segreto. Non giudicarmi male. A me il pensiero di avere intorno un uomo sempre elegante fa un po' paura. Il classico maschio vestito da matita: lungo, grigio e con la punta nera. A me tendenzialmente piacciono i truzzi, non c'è niente da fare. Quelli che portano i mocassini tortora con i due ciuffetti, e i gemelli d'oro mi mettono inquietudine. Non mi piacciono gli uomini col cache-col, il foularuccio con su la fantasia di gigliuzzi di Firenze, e anche quelli che si fanno la piega nei jeans. Patisco anche un filo gli uomini senza calze con l'abito serio. Pure l'uomo con il fantasmino mi dà pena al cuore. Il maschio dominante col calzino invisibile tocca sopprimerlo. Si deve estinguere come i dinosauri. Poi mi fanno venire l'orticaria quelli con le scarpe di legno, e quelli con la cravatta con il nodo a papaya o il risvolto con su stampigliato Paperino. Non sopporto gli stivaletti alla Ligabue perché mi danno l'idea che lí dentro ci siano ecosistemi indipendenti, centrali di fermentazione che possono esplodere da un momento all'altro tipo Fukushima. Quando i maschi si levano quelle scarpe lí, senti proprio l'odore dei denti della iena, che grondano ancora di carogna fresca. Lo dico perché a volte succede.

L'uomo deve essere basic, anche un filo coordinato però vestito sempre uguale. Magari c'è un maschio che a prima vista ti sembrava tanto carino, intelligente, arrivo persino a dirti sapiente, e poi noti un particolare che ti fa crollare tutto. All'inizio, quando sei piccola, vedi quel particolare e dici: vabbe', dài, non pensiamoci, invece poi crescendo capisci che è proprio quel particolare lí che devasterà ogni cosa. Statene certe: se lui si mette le bretelle, per dire... dopo è tutto un precipitare.

FV   Scusa, Luciana, non capisco il rapporto fra uno elegante e una matita. Non c'è abito che possa vestire la volgarità, basta guardarsi attorno. Un uomo è elegante quando l'eleganza parte da lui. Ci sono dei capisaldi del cattivo gusto attuale che addosso a un uomo chic (lasciami usare questo ineffabile

L'ISTRUZIONE DELLE FANCIULLE

Nell'anteguerra non superava le scuole medie nel migliore dei casi, quando non ci si mettevano di mezzo le monache. Rare le lauree e ormai quasi sparito l'analfabetismo. La formazione della personalità era però garantita in famiglie solide da altre istruzioni: pittura, taglio, dattilografia, cucina.

Non è più così. Qualsiasi velina si dichiara iscritta a una facoltà universitaria. La frantumazione delle famose facoltà in sottospecie ha reso la scelta più gustosa e il risultato più a portata di mano. Esempio. La conosciutissima Scienze della comunicazione, cara alle miss, può essere scienza di un'infinità di cose sbrigabili in due o tre anni: delle preparazioni alimentari, agrarie tropicali e subtropicali, delle tecnologie della produzione animale, politiche (poco frequentata), delle statistiche attuali, più quelle nell'area sanitaria e nell'area scientifica.

Non parliamo delle Specialistiche. Puoi imbroccarle anche a caso.

Ma non è detto che un titolo scelto sovrappensiero pregiudichi altre carriere, come mamma, assessore, onorevole, presentatrice, Vip, baby-sitter e velina.

F. V.

aggettivo) diventerebbero quasi eleganti. Fatalmente, certo, non se li metterebbe. Salvo restando che un doppiopetto di buon taglio addosso a un cafone, lo lascia un cafone in doppiopetto.

LL È vero che adesso i ragazzi sono fin troppo conciati… All'apparenza sono slandronati, però in realtà tutto ha un senso. Anche il pantalone calato è una scelta precisa. Quando mio figlio va in giro col culo mezzo di fuori, devo contare fino a ottomila per non coprirlo di contumelie. Un minimo di decoro deve essere rispettato. È la storia dell'adatto e non adatto di cui parlavi prima (però anche gli uomini della mia età che si tirano su i pantaloni fin quasi alle ascelle e vedi il walter che sta tutto da una parte o tutto dall'altra, io li guardo e mi viene da dire: «Senti, abbiamo il bipolarismo? Approfittane»).

Oggi va di moda anche il sopracciglio tagliato. Il primo che ho visto, ho detto: guarda, quello è caduto col triciclo e si è spaccato il sopracciglio. Poi ne ho visto un altro e ho detto: guarda, anche questo. Sono caduti tutti e hanno battuto tutti lo stesso sopracciglio? Alla fine ho scoperto che la maggior parte dei tronisti di *Uomini e donne* ha il vizio di tagliarsi un pezzettino di sopracciglio per far vedere che c'è la cicatrice. Ed è subito diventato moda. Capisci i danni che può fare la Tv? Esistevano modelli altrettanto devastanti negli anni Trenta?

FV Prospetto teorico dell'uso di quella manciata di anni fra le idee della famiglia e le proprie letture. A parte i tradizionali veicoli di lacrime, *Cuore*, *Incompreso* fino al crudele *Pierino Porcospino*, la moralità delle fanciulle era protetta dalla inesistenza dei settimanali quanto dalla proverbiale scarsa attitudine alla lettura delle famiglie italiane rinfocolata dal regime (fascista). La fuga di una miliardaria col cameriere o la morte molto misteriosa di Jean Harlow non arrivavano a quelle pure orecchie nella loro crudezza.

Allora? La vita della fanciulla presume di essere preparata a diventare una donna. Credo che nessuna èra sia mai stata adeguata a questo compito. Il tempo sfugge per conto proprio alle previsioni umane. Scuole di economia domestica? Cucina, i segreti del riporre, i cambi di stagione, il servizio di un pranzo?

«La scuola migliore è a Firenze».

«Senza andare tanto lontano ce n'è una a Varese».

«Se vuoi stare tranquillo, Londra».

Negli anni Trenta? Ma quando mai. Sabrina era negli anni Cinquanta, al cinema.

LL Alcune donne riescono ancora a conquistare l'uomo con la cucina, però secondo me è una cosa vecchia. Oggi il maschio lo prendi per la gola solo per strozzarlo.

FV Cucinare per qualcuno, in questo caso un uomo, è un gesto d'amore. Ne abbiamo a disposizione cosí pochi. Una fanciulla avrebbe preferito entrare furtiva in cucina, allontanare la cuoca (sempre nel sogno) e preparare con le sue manine, fregiate da anello matrimoniale, un manicaretto in cui il pâté si univa a una *sauce béarnaise* decorata con petali di rose. Già da allora una mamma realistica avrebbe suggerito di eseguire la confezione di ossobuco col risotto; che io so fare benissimo, ma ci sono mille ricettari piú efficaci.

Comunque nei Trenta una fanciulla prima o poi sapeva fare i biscotti, ricoprire dei libri (anche senza leggerli) e tingere un golfino. Era sostanzialmente una preparazione al matrimonio. Perché,

LA RICETTA. LE MELIZZE

La ricetta che vorrei dare oggi è quella delle melizze, delle melanzane pizze. Vado a illustrarla.

Dunque: si prende una melanzana, si taglia a fette di un centimetro l'una. Poi si prende una padella, si mette un dito d'acqua, anche due, e si fa bollire. Quando l'acqua comincia a sobbollire ci metti dentro queste fette di melanzana, poi le giri da una parte e dall'altra. Ma non per molto. Non devono essere mollissime se no si spetasciano. Quando sono morbide, le levi, le coli, le metti ad asciugare su uno scottex. Tutto questo puoi farlo anche con l'olio, ma viene piú pesante. Poi fai scaldare il forno, prendi la teglia, un filo d'olio sul fondo, metti le fette di melanzana e le condisci come se fosse una pizza. Quindi ci metti un po' di mozzarella, un po' di pomodoro, origano, olive se vuoi, un po' d'olio, sale e metti in forno. Sono pronte le melizze. Poi la parmigiana è piú o meno quella roba lí, ma questa ricetta è piú semplice perché fai le rondelle ed è pronto. Finiscono subito, è anche questa la loro prerogativa, purtroppo. Perché sono buone e i bambini le mangiano in un secondo.

È molto difficile cucinare per i bambini. Perché loro sono abituati a mangiare sempre le stesse cose. E sono noiosissime. E quindi in tutti gli esperimenti che fai devi mettere in conto anche le reazioni negative. Perché poi loro non osano dirti che fa schifo, invece dicono: «Mmm, buono, però basta, grazie!» E spostano il piatto lontano. E tu magari ci hai messo sei anni a fare 'sta roba e ti sei lambiccata il cervello. Sono come i cani, mangiano sempre le stesse cose. Invece a me piace assaggiare cose nuove. Tipo la marmellata di angurie e zenzero e poi rovesciarla nel water perché è disgustosa.

L. L.

LA NON RICETTA

Attente, fanciulle che attraversate un periodo di «mala cucina».

Cominciamo dai ristoranti, luoghi che simboleggiano le tendenze. Alle voci dei nutrimenti base (pasta, riso, vitello, costata, pollo, spigola, baccalà, eccetera) si mescolano i termini piú insoliti (fragole, ananas, melone siriano, uovo di fringuello, gorgonzola e via dicendo).

Chiedi incuriosita: «È un piatto unico?»

«No, signora, è un piccolo antipasto».

In effetti è un oggettino molto decorato, che campeggia in un piatto di forma insolita.

In questa direzione piú letteraria che culinaria si arriva ai dolci e al conto, piú salato dei campioncini di cibo. Vatel e Artusi fuggono dalle loro tombe come increduli fantasmi.

Chiariamoci in loro ricordo i grandi equivoci alla base di questo turpiloquio di sapori. All'elemento principale del piatto, attente, non piú di due o tre supplementi possono vivificarne il gusto.

Il segreto del grande cuoco è nella cottura e nella presentazione vigorosa, quasi pittorica del piatto. Il cibo era un trofeo.

Dalle cucine attuali non escono odori cattivanti alla tavola, solo l'odorino famigliare di un soffritto di cipolla dai sottoscala. L'ultima spiaggia della tradizione del gusto.

F. V.

salvo casi eccezionali che possono cadere come folgori anche sulle migliori famiglie, quello era l'obiettivo.

L'età per mettere i genitori in attesa era fra i venti e i venticinque. Prolungabile con ansia ai ventino-

ve. Poi la revisione dell'avvenire supposto. Esisteva il termine «zitella». Secondo loro una donna perfetta, quel tanto di cultura generale (non si è mai saputo che una signora leggesse Dante o abbia appreso quando hanno scoperto l'America), il suo francese (il pianoforte l'ha smesso perché le allargava la mano). Il telefono cominciava a essere uno scomodo interlocutore. Pericoloso non ancora. «Chi era?»
«Ti ha chiamato? Ma quando?»
«Non credo sia il caso che chiami tu. Potrei chiamare io la mamma, voleva la ricetta del babà».
Entrava nella casistica del peccato il telefono pubblico. Quel robusto aggeggio appeso a un muro, da nutrire a gettoni, era sufficientemente losco per far battere il cuore. La fanciulla tanto audace da adoperarlo doveva usare molte accortezze, come non farsi trovare gettoni in tasca, cercare un telefono almeno fuori dal proprio quartiere, ricorrere alla complicità di un'amica. In questo caso lui non era regolare. Sarebbe stato fatalmente il primo inconfessato amore, forse ricordato solo in punto di morte.

LL   Il telefono, soprattutto all'inizio, è fondamentale. Io avevo il duplex con quello di sopra, che si chiamava Luzzitelli, io ero Littizzetto e nel condominio c'era pure un tizio che si chiamava Iacomuzzi. Il postino non azzeccava mai il nome giusto sul citofono. Il figlio di Luzzitelli aveva la mia età, quindi negli stessi anni facevamo telefonate fiume ed era tutto un: «Uffaaa... ha preso la linea Luzzitelli!» Oppure, al contrario, veniva giú lui, suonava: «Scusi, può lasciare libero il telefono ché dobbiamo ricevere una telefonata?» Il duplex era croce e delizia per me. Soprattutto croce. Adesso invece ci sono tariffe con cui paghi i primi venti secondi e poi non paghi mai piú o puoi mandare otto milioni di messaggi a zero lire. E poi c'è il nuovo trend del corteggiamento via Sms. Tutta una roba mentale. Mica male. Solo che poi da lí alla realtà c'è uno scarto potente. Ci si manda messaggi continuamente e ci si telefona di continuo, poi quando ci si vede di persona non si sa piú cosa dirsi.

Però prima parlavi della cucina. Io ho imparato a cucinare da mia mamma, che a sua volta imparò dalla nonna che aveva una trattoria in campagna. Si chiamava Lucia, detta Cia, come se fosse stata ingaggiata dai servizi segreti, per questo mi chiamo Luciana. Rimase vedova molto giovane con quattro figli piccoli, ma non si fece soggiogare dalla vita. Era forte e cocciuta, niente la spaventava. Era in grado di fare la mamma, la barista, la cuoca, la cameriera e la buttafuori facendosi rispettare con la sola forza della ramazza. Per evitare di incappare in un altro matrimonio, stava alla larga dagli uomini, aveva ben altro a cui pensare che alle smancerie dei corteggiatori. Per darti l'idea di che elemento fosse, ti dico solo che per risolvere i suoi continui problemi di denti a un certo punto decise di farseli togliere tutti. Cosí, *d'emblée*. Ma non sopportando manco la dentiera rimase senza denti. Aveva solo cinquant'anni! Niente paura. Riusciva a masticare tutto, anche il torrone. E quando a scuola i miei compagni dicevano: «Sai, mio nonno fa il notaio, mia nonna fa la professoressa, tua nonna cosa fa?» io rispondevo: «Mia nonna spacca le noci con le gengive». Mi sembrava una roba fighissima...

Tornando alla cucina, me la cavo abbondantemente con quasi tutto a parte il risotto. Quello non ho mai imparato a farlo. Non so come mai. Forse perché prevede che ogni tanto lo si giri e io ho ben altro da fare nella vita che star lí a girare il risotto. La verità è che molti insegnamenti sono scomparsi perché bisogna avere tempo a disposizione e invece se lavori fai fatica. È vero, oggi l'educazione di una fanciulla non è piú una preparazione al matrimonio.

FV Tra papà e mamma è stato un matrimonio perfetto, anche se nella memoria individuo episodi per cui oggi una donna divorzierebbe ritenendosi vittima del maschilismo. Mia madre sapeva ovattare. Non apprezzo l'atteggiamento delle donne: la libertà anche sessuale non comporta l'esibizione. Fanno troppo chiasso. Se prima l'uomo era troppo padrone, adesso le lascia fare troppo. Non ha mai saputo avere un giusto equilibrio.

LL E infatti oggi c'è questo grande sviluppo dei divorzi, che poi sono la diretta conseguenza dei matrimoni. Ma forse è anche che oggi ci sono troppe pretese. Mia nonna diceva: «Tuca basè la cavagna», occorre abbassare il cesto, cioè le pretese. Perché se no non ne vieni a capo. E poi quando le figlie si lamentavano dei rispettivi mariti tirava in ballo questo proverbio: per far durare una coppia

DIECI CONSIGLI DI ECONOMIA DOMESTICA

1. Per non tingere tutto il bucato in lavatrice e farlo diventare monocromatico ci son quei magici foglietti che metti nel cestello e ti garantiscono che la tua maglietta rosa non ti diventi scarlatta, e il reggiseno azzurro non diventi cobalto.

2. Il sale sulle macchie d'olio non fa una mazza. Segnatevelo.

3. Quando hai proprio i nervi a fior di pelle, pulire il forno è sempre una strategia vincente. Tu metti la testa dentro e per un po' ti isoli dal mondo. Quando riemergi è sempre meglio.

4. Mai invece, in casi di grande crisi, sostituire il sacchetto dell'aspirapolvere. Perché cambiare il sacchetto dell'aspirapolvere è orribile, uno dei drammi dell'essere donna. È un'esperienza ai confini del reale. È talmente una roba brutta che non saprei nemmeno trovare gli aggettivi per descriverla. Il cambio del sacchetto dà un senso al famoso monito: «Polvere sei e polvere ritornerai».

5. Il miglior modo per sistemare il piumino dentro il copripiumino è infilarsi dentro di testa. Come la Cagnotto quando fa i tuffi. Si fa prima. Dopo però devi farti una doccia. Come la Cagnotto, appunto.

6. Pulire i vetri con i fogli di un quotidiano è sempre una buona soluzione. Ti consente di aggiornarti anche sulle ultime notizie se non ne hai avuto il tempo.

7. Adesso van di moda le cere facili. Le cere che si autolucidano. Basta prendere questi prodotti nuovi coi nomi a spruzzo, tipo BREF, SPROF, BANG, li schizzi in terra,

ogni tanto bisogna mordere l'aglio e dire che è dolce. Da ragazzetta pensavo fosse un insegnamento perdente... Ma come, nonna? Mi insegni ad abbassare la testa e a masticare amaro? Adesso passi al volo uno straccetto *et voilà*, il bambino può mangiare direttamente dalla piastrella, anche se il cane sta facendo la cacca molle due metri piú in là.

8. Aspirapolvere o scopa elettrica? Io vorrei tanto capire una volta e per sempre che differenza c'è. Perché fanno lo stesso lavoro, giusto? Aspirano la polvere. Solo che l'aspirapolvere lo fa da sdraiato e la scopa elettrica in piedi. Come se fossero due professioniste del sesso con specialità diverse. Quindi uno vale l'altra, dipende da come ti trovi piú comodo.

9. Le vaporette. Vaporone, vaporelle, vaporissime... Quelle cose che sputano vapore, con il quale in teoria si dovrebbe pulire tutta la casa e ritrovarsela sterilizzata come i guanti di un chirurgo. Sono belle, eh? Basta non avere fretta nella vita. Le accendi, poi ti scorrono un paio di generazioni e finalmente il vapore è pronto. A quel punto fai partire il soffione e il tappeto si infradicia. La polvere c'è sempre, soltanto molto bagnata. Cosí non vola. Sta tutta lí. Un po' come fare la doccia alla casa. Per carità, viene pulita. Peccato che sia complicato stenderla. Il filo da stendere non regge un divano a quattro posti piú due poltrone. Tocca lasciare la casa umida per qualche giorno e trasferirsi dai vicini.

10. Per scongelare il freezer quando non hai tempo dàgli una botta di fon. Funziona. Se non ti fulmini.

L. L.

che son cresciuta la capisco di piú. Per far durare l'amore bisogna usare il buon senso. Tacere quando è il momento, ogni tanto lasciar correre, chiudere gli occhi e aspettare che passi la bufera.

NESSUN CONSIGLIO DI ECONOMIA DOMESTICA

Mettere insieme dieci consigli di economia domestica è veramente azzardato, sarebbe sfociare in competenze altrui. Affidarsi ai ricordi sarà istruttivo.

Per riparazioni (buchi, strappi, smagliature) o lo sai fare o è meglio rivolgersi a mani abili (mamma, sarta, portiera).

Smacchiare: non c'è niente come la tintoria. Nella mia infanzia c'era la benzina, con l'inconveniente di lasciare il capo all'aria almeno un giorno. Seguì la trielina. Avevo una sarta di compagnia che usava l'espressione: «Faccio trielina», e si appartava.

F. V.

Lo hai detto anche tu prima che la vita dà le sue bastonate. Perché poi, diciamo la verità, una si innamora dei difetti degli uomini, che all'inizio sembran quasi dei pregi. Col tempo però riacquistano la loro vera natura di difetto. Solo che poi è troppo tardi.

La mia amica Ida me l'ha insegnato. Lei è vecchia come la penicillina, due volte vedova e mille volte fidanzata, quindi attendibilissima. Dice di non essere una «vedova allegra» ma una «vedova serena». Sostiene che nella vita non bisogna aspettarsi di essere sopraffatte dal classico amore a prima vista. Che l'importante è accontentarsi. Va benissimo anche un amore a seconda, terza, quarta vista. E che comunque mai, per nessun motivo al mondo, ci si deve far sfuggire le occasioni. Perché il tempo passa, e a una certa età poi ti viene il culo secco come un cantuccio e non te ne fai più nulla. Al massimo puoi bagnarlo nel vin santo. E che in amore bisogna anche un po' accontentarsi. Che agli uomini a una certa età non viene più duro niente tranne l'aorta. Lei mi mette sempre di buonumore. E sai perché? Perché ha conservato la vanità. Fa di tutto per sentirsi bella e *charmante*. Non si è rassegnata all'oscurantismo della vecchiaia. Anzi. È ancora vanitosa. Vive come Rossella O'Hara. Pensando sempre che domani è un altro giorno.

FV Quel che è certo è che l'amore è un sentimento multiuso, in questo senso è necessario. Va bene per il sesso, per gli amici, per i bambini, per l'Arte nella sua globalità, per gli animali; per piccole e grandi cose.

È come una borsa dell'acqua calda mentre fuori nevica.

LL Se nella vita cerchi di decidere tutto, di stabilire percorsi netti e obiettivi chiari, non ce la fai. È impossibile. Per quanto tu voglia una strada, un progetto, il destino è un'altra cosa. Non puoi comandarlo così tanto. La vita va dove vuole lei. È anarchica.

Non so se succede anche a te. A volte mi sembra di essere davanti a quei cartelli con su scritto: tutte le direzioni. Prima, fino ai trent'anni, mi sembrava tutto più facile, più classificabile. Più passa il tempo, meno so quale sia la strada giusta. Come canta Daniele Silvestri: «Perché con quello che succede in una storia come questa, non è che ti puoi chiedere se sia la strada giusta ad ogni angolo, ogni semaforo che c'è». Ho capito che tutto quel che accade ha un senso. Ma non un verso. È una cosa che mi hanno insegnato i figli (che forse sono come i principi azzurri): tu li vuoi portare da una parte e loro vanno da un'altra. Tu semini tantissimi narcisi e improvvisamente crescono dei meravigliosi tulipani. Ma tu volevi i narcisi, cacchio. Poi però, quando vedi i tulipani, dici: «Sai cosa? Forse son persino meglio i tulipani...» Questo è proprio bello. Perché non è vero che non fioriscono; semplicemente fioriscono diversamente da come vorresti tu. Invece le madri spesso hanno il vizio di credere di sapere già tutto. E fanno domande stupide.

FV   Pensiero di grande attualità, considerando che il momento è cosí gravido di catastrofi che progettare il futuro anche di una settimana è difficile. C'è stato un tempo in cui fabbricare l'avvenire era normale. Parliamo di donne, vero? Mamme e figlie. Cosa chiedevano le madri.

«Ti sembra uno che sta bene?»

«Papà sa chi è suo padre, un buon avvocato. E lui perché non studia Legge?»

«Al cinema con...? Se siete in tre forse. Cosa andreste a vedere? *Accadde una notte*? C'è quel Clark Gable». Piaceva anche alle madri. Col pensiero potevano tradire il marito con quel giovanotto impertinente.

Che io sappia i rapporti fra la borghesia e la chiesa erano ottimi ma del tutto inconsapevoli. Tutti i riti erano rispettati senza convinzione. Ci si chiede ancora perché tutta la sacralità di un rapporto con Dio abbia coinvolto tanti vestiti bianchi, tante bottiglie di champagne, tanta argenteria.

Non c'è dubbio che la fanciulla anni Trenta sovrapponesse questo sogno sfarzoso al significato del sacramento, termine un po' oscuro per lei.

Chi ci ha proposto questa escursione nel costume ci ha dato poco da allargarci, dato che il Trenta è a una spanna dal Quaranta. E lí c'è una mannaia che cambia il nostro mondo.

Da quando il fidanzato è diventato il compagno, neanche un tornado ha spazzato tanto. La domanda ai padri, l'anello, le famiglie a confronto, le prime uscite insieme.

«Fatti vedere. Perché senza un filo di rossetto?» Sai, mi sembra che non considerare piú il matrimonio come il fatale compimento della vita delle figlie corrisponda all'attuale non considerarlo tale. Il mondo è cosí pieno di liberi pensatori che cambierei nome al fenomeno.

LL Le mamme vogliono per la figlia un compagno che non abbia troppi grilli per la testa. Uno che faccia una vita regolare. Che partecipi a tutti gli eventi della famiglia, le cresime, i matrimoni, le ricorrenze, gli anniversari. Che parli poco, non ti spieghi la vita e si inserisca perfettamente nelle dinamiche della famiglia, senza rompere troppo le palle. Le aspettative di mia mamma? Tantissime. Poi ha dovuto cambiare idea. Cioè, io facevo la professoressa. Ho smesso e mi sono messa a fare l'imbecille. Sposare, non mi sono sposata e convivo. Tanto, sai che c'è, Franca? La felicità è diversa per ognuno.

LA MESSA

Il ventunesimo secolo sta rivalutando la messa, non tanto per il tutto esaurito dei fedeli quanto per il significato del rito. Intendiamoci, l'affermazione può stupire, dato che il secolo non dà segnali di serietà, ma una coincidenza ci porta a questa conclusione.

Siamo sinceri, cosa è stata la messa per secoli? Un luogo. Principalmente di incontri. Quando non c'era il telefono, ma anche dopo, quel: «Ci vediamo sul sagrato» assicurava una domenica divertente. Gli antichi sguardi furtivi che volevano dire: «C'è», sono stati i palpiti delle fanciulle di molti secoli. Quanti addii frettolosi dietro una colonna e biglietti infilati in un inginocchiatoio.

Nella celebre confessione di Gilda (*Rigoletto*, atto II), «Tutte le feste al tempio mentre pregavo Iddio», la ragazza cinquecentesca in realtà stabiliva un rapporto amoroso con un giovane (in questo caso un seduttore).

La messa è stato, e forse sarà sempre, un posto fresco in cui posare la spesa mentre si chiede un favore a Dio; perché i buoni cattolici sono sempre andati a messa per chiedere.

Bene, ragazze, lo scetticismo mondiale e la facilità nelle comunicazioni hanno liberato la messa dal ruolo pretestuoso di tramite del peccato spicciolo. Andateci tranquille. Cellulare spento come a teatro.

F. V.

Adesso le donne lavorano, non hanno piú bisogno di «accoppiarsi» per sbarcare il lunario. Degli uomini possiamo anche fare a meno, guarda. Siamo quasi come loro, ci manca la prostata, i baffi già li abbiamo. Oggi le donne possono fare da sole, possono addirittura fare figli da sole. Ho amiche che sono single e passano la vita in giro per il mondo a fare pubbliche relazioni e stanno benissimo. E tu dici: ma come, i figli? La famiglia? Non sono tarate per quello, stanno meglio cosí. Oppure quelli che mi dicono: «Ma come fai ad avere dei figli che non sono tuoi? Hai preso dei figli già fatti, già grandi, un casino...» Io ero portata per quello. Io volevo quello. Da quando ero piccola. Mi ricordo che dicevo: «Io i figli li adotto». Per cui anche se un figlio fosse venuto, avrei adottato lo stesso. Perché era quello che volevo fare. Per questo voglio che i miei figli facciano quello che li fa stare meglio, che li rende piú contenti e sereni.

FV   Luciana, quando parli dei tuoi figli è bellissimo. Sembrano davvero piú tuoi che se li avessi fatti, vi integrate cosí profondamente da suscitare in chi ti legge o ascolta la serenità che dovrebbe dare la famiglia. Come purtroppo non è sempre. L'adozione è certamente una delle poche cose in cui i nostri ultimi cinquant'anni battono i precedenti in civiltà. Come la intendi tu, naturalmente, che l'hai sempre prevista come la tua maternità.

LL   I miei figli sono in affido. Che è una condizione ancora piú strana rispetto all'adozione. Loro sono fratelli, sanno chi sono padre e madre, ma non li vedono piú perché i loro genitori hanno perso la patria potestà. Quindi entrare nella loro vita non è stato facile. Ho dovuto anch'io in qualche modo partorirli. Sentire la loro presenza dentro. Avere un bimbo che cresce nella pancia è come sentirsi doppiamente vivi, una Luciana alla seconda. Come le potenze. Mi sarebbe piaciuto tanto riconoscere la mia pelle nella pelle dei miei figli. Sentirne l'odore e identificarlo come mio. Soprattutto perché erano già grandi. Lui otto anni e lei undici. È stata quella la cosa piú faticosa all'inizio. Non essere capace come bestia di sentirli cuccioli miei. Mi dannavo e non ce la facevo. Mi sentivo incapace, inerme, non sapevo come toccarli, dove toccarli, avevo paura di far loro del male.

Spesso i bambini in affido pungono. Sono ricci. Si difendono, bisogna maneggiarli con cura. Per loro, tutti sono potenziali carnefici, non si fidano. Sono passati cinque anni da allora. Di solito si dice: «Mi sembra ieri...» A me no. Mi sembra un'eternità. Come se avessimo passato insieme una vita. Infatti è stata vita. Potente. Dolorosa. Impetuosa... e la loro pelle è diventata la mia pelle. Magari abbiamo pure lo stesso Dna. Tra i miei molti difetti spicca proprio questo: non mi piace essere un'anima morta di Gogol′. Sono una grande produttrice di utopie, coltivo chimere come gli altri coltivano margherite sui balconi. Una sovrumana testa di minchia insomma. Una volta sono venuti in trasmissione a *Che tempo che fa* Dario Fo e Franca Rame. E lei, guardando con amore il marito, ha detto: «Non so se il destino farà morire prima lui di me, ma se dovesse succedere che muoia prima Dario, di una cosa sono certa. Farò scrivere sulla sua tomba questa frase: "Com'era vivo da vivo"». Ancora mi commuovo. Ecco... Voglio essere viva da viva.

E infatti, tra le letture fondamentali della mia infanzia non ci sono stati *Pierino Porcospino* e neppure *Cuore* o *Incompreso* che citavi prima, ma

Pippi Calzelunghe, una che era davvero immensamente viva. Digressione: *Cuore* me lo leggeva mia cugina grande, Maria Grazia, in campagna da mia nonna. Metteva una specie di foulard sopra l'abat-jour, riuniva tutti i bambini, leggeva e ci faceva piangere. *Incompreso* non l'ho letto, ma tutte le volte che davano il film in Tv mia mamma diceva: «No, neh, stasera... l'*Incompreso* NO. L'hai nen voja d' piurè (non ho voglia di piangere)», ma poi, per qualche meccanismo strano, lo si guardava lo stesso, e quando il ramo si spezzava e il bambino precipitava nell'acqua, ti si spaccavano le dighe e piangevi come un salice... Per fortuna c'erano le fiabe dei Fratelli Fabbri Editori, quelle: «A mille ce n'è, nel mio cuore di fiabe da narrar». Siccome ero spesso malata, le ascoltavo talmente tanto che le sapevo a memorissima e all'intervallo a scuola le raccontavo alle mie compagne. La maestra diceva: «Luciana, vieni a raccontare un po' di favole», e io facevo tutte le voci dei personaggi, dal maiale parlante al topo di Cenerentola. Le ho ancora tutte, con il mio bel 45 giri da infilare nel mangiadischi.

Però, come dicevo, i libri fondamentali per me sono stati quelli di Astrid Lindgren, la scrittrice svedese di *Pippi Calzelunghe*, *Vacanze all'Isola dei gabbiani*, *Karlsson sul tetto*, *Emil*... Pippi mi piaceva molto piú di Jo di *Piccole donne* perché era una bambina indipendente. Viveva da sola, aveva una valigia piena di monete d'oro e di mestiere faceva la cercacose, cioè andava in giro a faccia in giú e raccoglieva da terra qualsiasi cosa: tappi di biro, mozziconi di sigarette, caramelle succhiate.

In piú aveva una forza pazzesca, e quando arrivavano i ladri o qualcuno che le faceva girare le palle, li sollevava e li scatafrattava lontano. Viveva da sola, dormiva con i piedi sul cuscino e la testa al posto dei piedi. E poi cucinava da sola, si faceva le frittelle. Per me è stata veramente un modello fantastico. E non è certo di quelli che preparano a sposarsi. Molte ci arrivano, ma molte anche no. Il matrimonio non è piú il destino delle donne.

FV Ah, certo, la piccola Calzelunghe che, pur non essendo ancora nota al tempo delle mie prime letture, so quale ideale di autonomia femminile abbia rappresentato e continuerà a rappresentare per le nuove bambine. Dei miei personaggi letterari simbolici è sopravvissuto solo Pinocchio. Ma è un maschio.

La donna però, anche prima dei miei verdi anni, è tanto che lavora per tessere la sua indipendenza, ho perfino il sospetto che una forma di autonomia faccia proprio parte della sua natura. Anche se l'evoluzione traballante della nostra vita sociale le ha tolto molti vezzi ai quali era anche affezionata (la donna è di animo forte).

Il corredo. Possibile? Non c'è piú. Due paia di lenzuola all'Ikea e quattro spugne. Un piumone, toh. Dalla figlia della cuoca a quella del re, il corredo c'era. Aveva accumuli in proporzione, spesso era difficilmente usurabile in una vita. Negli anni Trenta non era tutto frutto di mani preziose. Madri e figlie si sfinivano per negozi famosi e ne uscivano facendo conti, ma felici. La mamma pregustava lo schiaffo morale alla futura suocera, che stava rompendo le scatole per fare lei il pranzo di nozze in campagna.

LL   Non essendomi mai sposata, non ho servizi di piatti e bicchieri. Non ho neanche il mobile per contenerli, in verità. Ma ultimamente, invecchiando, mi sono venute delle fisime, tipo proprio di avere un servizio di piatti che non ho. Anche i bicchieri li ho sempre avuti di straforo, quelli del supermercato, quelli che vinci nelle raccolte punti, oppure quelli della Nutella, e anche lí vorrei tantissimo qualcosa di decente. Però a casa mia non si può, perché quando non li rompiamo noi, li rompe la lavastoviglie. È come se ci fosse una congiuntura astrale sfavorevole. Dovrei tirarli fuori solo nelle occasioni, ma non ho occasioni. Casa mia è un porto di mare, c'è sempre gente, ma non ci sono occasioni, è tutto uguale, sempre un po' un casino.
La cosa incredibile, invece, è che il corredo ce l'ho. Anche se non mi sono sposata, a un certo punto mia mamma si è arresa e me l'ha dato. Me l'aveva preparato facendolo ricamare dalle suore del Cottolengo, a Torino. All'inizio ho detto: le conservo. Poi alla fine le ho usate. Sono lenzuola pazzesche, di lino grezzo, che tu ci scivoli dentro e fai il peeling, ti levi tutta la prima pelle, senza nemmeno andare dall'estetista.

FV   Il pranzo di nozze, invece, resiste al tempo. Ne ha forse perso l'etichetta. Una volta (usiamo questa fatale espressione) arrivava alla fine di mesi allucinanti: il vestito della sposa, il vestito della

mamma, la damigella, la casa, sei mesi di architet-
ti, una polmonite dello sposo e altro. Dopo tutto
questo, del pranzo se ne occupino le madri, era
il pensiero della sposa. Prima del cibo, gli inviti!
Loro centottanta, noi duecento, fatta la somma,
come la mettiamo? Riunioni anche un po' tese.
Ne restano centonovanta fra tutti. Per le bom-
boniere, tutti: argento, ma due misure; a parte i
testimoni.
La mamma di lui impone con prepotenza il cavia-
le, quella di lei due risotti. La storia è infinita. I
fidanzati distrutti assistevano sul divano senza
sfiorarsi.

LL I matrimoni sono un flagello per tutti. Sia per
gli sposi sia per gli invitati. Ci sono cerimonie in
chiesa che durano quanto una partita di calcio finita ai rigori. Arrivi al ristorante trascinandoti sui
gomiti come un soldato di *Platoon*. I piedi smetto-
no di essere piedi e assumono le sembianze di due
Buondí Motta. Poi ti siedi al ristorante, e nell'attesa che arrivino gli sposi (che fanno otto milioni
di foto che manco la Schiffer che ha sfilato per anni) cominci a imbottirti di pane. E acqua. Acqua
e pane come i carcerati del Ponte dei Sospiri. Ti
si gonfia lo stomaco e ti ribalti come i pesci rossi
quando tirano le cuoia. Arriva il prosciutto e melone e non hai già piú fame. Ma perché?
Un'altra cosa che non capisco è la follia dell'abito bianco. Il bianco che dovrebbe essere simbolo di illibatezza. Eh, certo. Una su mille ce la fa.
Ma allora?! Cosa ti metti l'abito bianco a fare?
Se l'hai data via come il granturco ai piccioni di

piazza San Marco? L'hai data via *sans frontières*, l'hai distribuita a mani piene come quelli dell'Anas quando buttano il sale d'inverno. Non ti sei mai risparmiata, se bastava darla una volta, per sicurezza tu la davi anche due, e ti metti l'abito bianco? Cacciati addosso un bel vestito color topa di Londra e falla finita.

Però, è vero che il fascino del matrimonio resiste. Ogni volta che mia madre va a un matrimonio, torna e mi dice: «Bene. Abbiamo mangiato: di primo...» e comincia a elencare con precisione assoluta ogni piatto, essendosi portata a casa il cartoncino del menu. È una delle cose che piú mi fa ridere al mondo...

FV   Mi chiedo: la mamma può essere un'amica? No, lei è un'altra cosa. Questo equivoco del «mia figlia è la mia migliore amica» è durato forse una trentina d'anni, ma mi pare fortunatamente archiviato. La mamma è la mamma, anche lei con una tipologia mutevole.

Comunque è la prima «altra donna» della vita. È stata: la prima nutrice, il primo esempio (secondo lei), il primo sguardo indiscreto, la prima rompiscatole della maggiore età e poi in caduta libera la preziosa nonna dei bambini, l'elargitrice segreta di aiuti di nascosto da papà, la prima immagine della vecchiaia. In tutto questo tragitto antico non c'era traccia dell'«amicizia».

LL   La mamma come amica no, non ci credo neanche io. Il legame materno è un legame fortissimo di affetto e amore profondo, ma l'amicizia è un'altra cosa. E poi nella relazione con i figli la mamma amica è sempre perniciosa. Bisogna essere autorevoli. Non autoritari, per carità... Non bisogna mettersi allo stesso livello dei figli, perché loro hanno bisogno di un riferimento. Non puoi avere una confidenza amicale con tuo figlio, perché sei un adulto e lui è un ragazzo. Fra l'altro non funziona neanche a scuola. Io che ho insegnato tanti anni, all'inizio dicevo: «Ma dài, che brutto mettersi a fare il professore... Molto meglio essere un po' amici dei ragazzi». Poi mi sono accorta che era pericolosissimo, per me perché mi saltavano sulla testa, e per loro perché non avevano alcun riferimento. Tutto si è risolto nel giro di due settimane da quando ho ristabilito le distanze. Ho iniziato a insegnare a diciotto anni, uscita dalle suore. Mi sembrava di essere Madre Teresa di Calcutta. Ribalto tutto, faccio diverso da come hanno fatto gli altri. In realtà, se gli altri fanno così da secoli vuol dire che bisogna far così.

FV Mi risulta invece che un rapporto semimaterno si può stabilire con la suocera, spesso donna moderna ma piú moderatamente. Suocera e nuora hanno in questo caso le comuni preoccupazioni che desta «lui».

LL Io e mia suocera parliamo solo di Davide, tendenzialmente per dirci che è uno sfinimento. E su questo andiamo d'accordo. Ma io credo che nella relazione suocera-nuora il fatto che tu le abbia preso il figlio un po' rimane. Da una parte le hai fatto un gran favore. Dall'altra, come conosce lei suo figlio non lo conosce nessun'altra. E come riesce ad avere a che fare lei con suo figlio, nessun'altra ci riesce e ci riuscirà mai. E come lei gli cucina le cose, nessuno riuscirà mai a cucinarle. C'è stato un lungo periodo che adesso è passato, grazie a Dio, in cui mia suocera comprava a Davide le mutande. Una pusher di boxer orripilanti con fantasie di cavalli a briglia sciolta, mazze da golf e frecce con archi. Cose tremende, che lui però metteva, anche se non è un mammone, perché gliele aveva comprate lei. Le avessi comprate io, me le avrebbe scagliate addosso con la mazzafionda.

FV   La mamma attuale per sommi capi è: preoccupata di tornare magra, una ragazza in minigonna, ha un rapporto difficile con papà; poveretta, lavora; la scambi per la baby-sitter, può metterti l'amante in casa, si accorge troppo tardi che sei incinta. Dispiega inaspettate qualità materne per la nipotina (se Dio vuole senza la noia di un padre), che le fa vivere finalmente la giovinezza femminile. A questo punto è uno strano, grande legame con una donna in gamba.
Queste due mamme sono naturalmente un'esasperazione della verità.

LL   Però le mamme sono sempre le stesse nei secoli. Sono un po' come i senatori a vita. Una volta elette continuano a governarti per sempre. Dal seggiolone fino alle soglie della demenza. Tua, naturalmente. Son doni del cielo, come i fulmini, i tornadi e la grandine. Alcune hanno patologie della sfera maniacale. Ti ossessionano con le

ISTRUZIONI PER DIVENTARE MADRI

Si diventa madri col tempo. Perché all'inizio non lo sai. Soprattutto per me che i miei figli li ho presi già fatti e quindi non ho avuto neanche il tempo della gestazione. Quello è un tempo di presa di coscienza del tuo cambiamento, proprio anche fisico. Invece per me sono arrivati loro, e dopo una settimana non capivo piú niente. Hiroshima e Nagasaki.

Mi ricordo che in quel periodo lí ero ossessionata e chiedevo a tutte le mamme, e dicevo: ma come si fa? E loro: allora, devi fare cosí… devi fare colà… io faccio cosí… io faccio cosà. Tutte che la sapevano lunghissima, e io non sapevo niente. Non capivo una mazza, non sapevo come fare. Poi il bambino era sempre ammalato, aveva sempre la febbre, questi febbroni da cavallo, febbre a 40… e allora c'era quella che diceva: devi fargli il bagno freddo, e l'altra che diceva: ma no, devi coprirlo, che sudi! Devi fargli il cortisone e il Bentelan… Ma no! Solo la Tachipirina! Attenta, ché può essere allergico… L'aspirina no, ché non si dà ai bambini! Devi dargli l'Oki… E l'altra: ah, io gli dò solo cose naturali, prova con l'Oscillococcinum…

Poi si apriva la parentesi cucina: ah, devi fargli assolutamente la torta di pane col Bimby. E io compravo il Bimby. La torta di pane? Ma non sono capace! Quando finalmente ho capito che avrei fatto la madre come ero capace, semplicemente come sono io, che è la cosa piú banale del mondo, allora mi si è spalancato l'universo. Anche perché ero cosí sciocca e cosí ottusa da non capire che io non ero uguale a quella mamma lí, che di mestiere fa l'impiegata, o la ragioniera da un com-

raccomandazioni tipo: «Non scendere dal treno prima che sia veramente fermo». Oppure: «Vai pure a giocare a calcio, ma mi raccomando: non mercialista. E quell'altra fa, che ne so, la professoressa o l'altra ancora lavora alle ferrovie. Cioè, come potevo pensare di fare la mamma come loro? Non che loro la facessero meglio o peggio di me. Ma la facevano diversa perché sono delle donne diverse. Quindi appena ho assimilato questa cosa che è banalissima, alla fine ho capito, cioè, ho capito… diciamo che ho provato a fare come sapevo io.

Per esempio, all'inizio non dicevo mai una parolaccia, poi ho capito che non potevo essere io, quindi una ogni tanto… se no non ero io!

Per esempio, io non sono una che piange molto, ma comunque non mi piaceva farmi vedere dai bambini che piangevo. Però l'anno scorso ci sono state delle occasioni in cui mi hanno vista piangere, e sono contenta. Cioè, sono contenta… non me ne faccio una colpa. Nel senso che succede, no?

E infatti ieri gli ho detto: «Sentite, ragazzi, guardiamo l'intervista a Valentino Rossi». E loro: «Ma che brutto… non vince piú!» Io invece ho detto: «Ma no, invece guarda, è coraggioso! Perché è davanti ai giornalisti che dice che non riesce ad andare avanti…» Succede, è normale! Valentino Rossi è un essere umano.

Secondo me anche quello è educativo. Perché è un esempio. E non è l'esempio di chi è perfetto, ma è come vivi tu, con le tue forze e le tue debolezze.

E quindi cosí si diventa madre, col tempo.

L. L.

correre e non sudare». O ancora: «Non aprire il frigo senza il golf addosso ché ti prendi la polmonite, e non stare vicino al camino dalla parte della schiena ché ti cuoce il midollo». E poi l'evergreen di tutte: «MANGIA».

Adesso mi sembrano spesso troppo comprese nel ruolo. Per esempio, a me non piacciono le coppie in cui la moglie chiama il marito papà. E viceversa. Perché nel momento in cui tu arrivi a questo punto significa che siete diventati solo papà e solo mamma. Avete soltanto quei ruoli lí, non siete piú marito e moglie.

Il casino è che oggi i nonni sono giovanissimi e quindi sono decisivi nel ménage famigliare. A volte passano piú tempo loro con i bambini che i genitori medesimi. Ma poi è difficile stabilire i confini e mettere delle barriere sulle loro interferenze. Perché se loro passano tutto il tempo con i pupi, poi vogliono decidere della loro educazione. Bisogna mediare molto bene. Da una parte li sfrutti e da un'altra non li vorresti. Però sono presentissimi. Mi è successo tante volte di avere amiche che hanno fatto il terzo figlio e i piú incazzati sono stati i nonni. Voglio dire che nella vita di una coppia i genitori contano ancora moltissimo, nonostante tutto quello che è cambiato.

FV Il rapporto suocera-nuora cosí com'era è una tradizione che va scomparendo. Un'altra. Peccato. Era frequente (uso il passato) che la sposina dicesse: «Fra la mamma e Alberto un idillio. Sembra l'abbia sposato lei». Il genero piaceva molto alle madri. Il papà era un po' geloso. La figlia era sistemata; bene o male riguardava solo lei.

I «compagni» attuali non piacciono in genere proprio alle mamme.

«Cosa ci trovi in quel bruttone? Per fortuna la bambina assomiglia a noi».

«È piú vecchio di tuo padre, sembra tuo nonno».

«È un ragazzo, con papà non ci dormiamo».

In genere non sono legami indissolubili.

LL   Sul rapporto suocera-nuora mi sono fatta questa convinzione: quando un tizio che ti piace sta ancora molto nelle grinfie della madre, non devi liberarlo. Devi lasciarlo alla madre. Perché poi diventa un inferno. Potresti anche strapparglielo. Però siccome è ancora attaccato al cordone ombelicale, poi viene insieme anche la mamma e ti tocca portar via tutti e due. Ai single mammoni bisognerebbe metterci intorno il filo spinato, come per le vacche negli alpeggi, che quando qualcuno si avvicina... *bzzz...* scossa.

Ma neanche le suocere sono tutte uguali. Io sono stata fortunata. Con le suocere. Coi fidanzati meno. A volte mi spiaceva di piú lasciare mia suocera che non suo figlio. Non so se siano sempre esistite o se siano un prodotto moderno, ma credo che esistano quattro tipologie di suocera. La piú comune è la suocera «tromba d'aria». Quella che quando viene a trovarti ti rivolta la casa, sistema i letti, prepara la parmigiana e rampogna il figlio. E parla, parla e parla. Apre una parentesi dopo l'altra. Devi solo pregare che passi, come tutte le calamità naturali. Tutt'altra solfa è la suocera «lagna», mirabilmente egoriferita, che ne ha sempre una. Dice che muore ma non muore mai, e ha dei guizzi di vita solo quando parla di malattie. Poi c'è la suocera «strega merdaccia», una rospa gonfia di odio che fa soltanto finta di amarti. In verità vorrebbe accopparti col veleno per topi. Il suo sogno proibito? Che si apra una voragine al centro della terra e ti inghiottisca, cosí che il figlio torni fra le sue braccia. E per finire la migliore. La suocera «uccel di bosco». Che non c'è mai. È una specie di spirito, un fantasma, un ectoplasma fatto di nebbia. Che però ti adora. Sta sempre dalla tua parte. Perché ha il sacrosanto terrore che tu pianti suo figlio e se lo ritrovi di nuovo lei a pesarle sulle croste.

Ma per quanto diverse hanno una costante. Alla base c'è la gelosia, che peraltro mi sembra sempre piú diffusa.

FV Le fanciulle erano gelose? La gelosia faceva parte di tutto quel fardello di «inconfessabile» che opprimeva quella maldestra pubertà.

Era già arduo nascondere che «quello» le piaceva, una tortura soffocare la gelosia di vederlo innamorato di un'altra. Altrettanto fastidiosa era la gelosia di quel compagno di scuola che non le piaceva.

Che sentimento controverso.

La capacità di combatterlo «lasciando» è un'energia nuova che noi non abbiamo avuto.

LL Sí, in effetti per lasciare ci vuole un'energia spaventosa. E anche una buona dose di audacia. Credo che una volta la gelosia si sopportasse di piú. Le donne accettavano di piú i tradimenti. Poi, dipende. A volte la gelosia ha confini che sono proprio patologici. Altrimenti una sana gelosia è anche normale. Perché è giusto che tu sia geloso della persona con cui stai. E dunque quando si avvicina qualcuno che fa un po' le moine ti dà fastidio. Ma questo è sano. Se proprio non te ne frega niente vuol dire che non te ne frega niente. Il tradimento è comunque complicato. Una mia amica che è sposata da un mucchio di anni dice che lei e il marito si sono messi d'accordo e si sono detti: quando succede a uno dei due, se non è una cosa che cambia veramente ma è solo un giro di lenzuola, non diciamocelo. Facciamo che si fa e basta. Se invece è una cosa che ti sbudella l'anima allora sí... E sono ancora insieme, da un sacco di tempo. Hanno fatto anche un bel po' di figli.

FV   Io non ho mai fatto scene, sventolato valigie, quelle robe da donne. Ero tollerante nei confronti dei tradimenti. Gli uomini sono fatti cosí, non si accontentano di una vita sola.

LL   Quando è successo a me ho fatto dei grandi danni. Poi mi hanno mollato tutti e due. Perché bisogna essere bravi. Per esempio, un mio amico gay dice che quando ti innamori di uno, per capire se la cosa può avere un futuro devi farci l'amore almeno tre volte. Dopo la terza è matematico: capisci se vale la pena di ribaltare la vita o no. Però tre volte sono tante... Comunque son cose che capitano. E a volte si risolvono senza fare troppo casino. L'importante è che mai, per nessun motivo al mondo, tu vada a sbirciare nei telefoni altrui. Se vai a ficcanasare negli Sms dell'altro, te le cerchi. C'è un'intimità che deve essere rispettata. Nella coppia le persone sono anche singole. Sei prima di tutto uno. Poi anche due. Gibran diceva: riempia ognuno la coppa dell'altro, ma non bevete da una coppa sola. E non leggete dallo stesso telefonino (questo l'ho aggiunto io...)

FV   Vorrei tornare un attimo al passato, Trenta o Quaranta o anche Cinquanta. Dal fidanzamento in poi, forse fino alla morte o a una separazione legale, l'uomo scelto non si giudicava. Si poteva litigare, piangere di rabbia, vergognarsi, anche inorgoglirsi. Ma sempre al di fuori dei termini di giudizio. È un cretino, un ladro, un vizioso, uno sporcaccione, un genio, un mascalzone: no! Era «lui», con tutte le adeguate inflessioni di voce.
Poter dire pane al pane e vino al vino è liberatorio, ma pericoloso.
Era solo un pensiero, ma in fondo un uomo non è un mito, si può amare anche un cretino. Non è una cosa del tutto nuova, la novità sta nell'ammetterlo.

LL   Una volta tu ti sposavi uno e sapevi che quello era il tuo uomo. Poteva succedere qualsiasi cosa, solo la morte vi avrebbe divisi. Chi si separava faceva scandalo. Adesso è strano che una coppia non si lasci. Sai come inizia *Anna Karenina*: «Tutte le famiglie felici si assomigliano tra loro; ogni famiglia infelice è infelice a suo modo». Invece secondo me non è vero che le coppie felici si somigliano (avrei sempre voluto dirlo a Tolstoj se avessi potuto incontrarlo di persona). Anche le coppie felici sono diverse una dall'altra, perché bisogna trovare la magia per cui la felicità tua è anche la felicità dell'altro. E già questa è una scommessa pazzesca. Per alcune coppie la felicità è viaggiare. Andare a vedere posti, girare il mondo. Per altre è fare figli. Piú ne fanno, piú son felici. Io ho degli amici che vanno in bici, fanno bungee-jumping, tutti gli sport possibili e immaginabili. Per loro la felicità è fare insieme queste cose qua. Ci sono coppie che stanno bene insieme e non si vedono quasi mai, perché magari lui lavora fuori o viceversa. Coppie in cui è evidente che lui o lei hanno l'amante e c'è un equilibrio lo stesso, non si capisce come, ma c'è. Addirittura, ci sono coppie che non fanno l'amore. Hanno chiuso quella pratica da tempo, ma continuano a volersi bene in un altro modo. Non c'è una regola. Non c'è una formina dentro la quale la sabbia sta dentro. Non c'è la giusta ricetta.

Dici che l'uomo scelto non si giudicava. Ti tenevi dentro il peso del fallimento, la coscienza che sbevazzasse, che ti tradisse o che fosse incommensurabilmente pirla. Ma stavi zitta e facevi finta di niente. Lo nascondevi agli altri e un po' anche a te stessa, per sempre. Le donne sono brave a tener dentro, a resistere, a stringere i denti. Poi ogni tanto esplodono. E lasciano intorno a sé le rovine fumanti di Dresda e Berlino. Questa sí che è una conquista di questi tempi. Avere la possibilità di liberarsi del maschio; è finita la convenzione che, preso uno, tu ce l'abbia per sempre. È molto liberatorio poter dire: mio marito è un pirla perché si gioca i soldi al casinò e quindi lo lascio. Anche perché non c'è un rapporto tra come uno appare all'inizio e sa corteggiarti

LA NOIA

Secondo me il grande problema della coppia è la noia, quel sentimento appiccicoso che prima o poi imbozzola tutte le coppie e le scaglia inesorabilmente davanti alla Tv. Mentre all'inizio si esce, si va al cinema, a teatro, dopo un po' lui ti porta solo a cena o alla sagra del bue grasso. Quindi, da intellettuale a verro; c'è questa trasformazione. E allora il rischio della noia è sempre in agguato. Perché prima, quando la relazione è ancora agli inizi, anche tu un po' fingi. Lui dice: «Che film preferisci?» E tu: «Mah, fai tu!» «Vuoi vedere un western?» E tu: «Sí, sí, figurati!» Che poi magari ti fa orrore il western, ma per non contraddirlo e garantire l'armonia abbozzi. Oppure: «Senti, andiamo a mangiar la trippa?» E tu: «Ah, non l'ho mai assaggiata la trippa. Uao!» In realtà ti fa cagarissimo! L'hai assaggiata almeno tre volte e l'hai trovata sempre disgustosa. Poi, dopo un po' non hai piú voglia di fingere, e alla domanda: «Ti va se andiamo a vedere la sagra del torrone?» tu sbotti e dici: «Ma, oh! Sei fuori?» Ed è nel momento in cui dici: «Ma, oh! Sei fuori?» che poi si fanno i conti.

Per far durare i matrimoni o le lunghe convivenze bisogna rinnovarsi continuamente, ed è difficilissimo. È un esercizio anche un po' illusorio. E se uno è un po' cinico di natura, non può illudersi che una cosa sia nuova se non lo è in sostanza. Ci sono amiche che incontri per strada e chiedi: «Come va?» E loro: «Benissimo, guarda, tutto a posto!» «E l'amore?» «Oh, perfettamente, tutto come il primo giorno, ci vogliamo un gran bene». «E i figli?» «Bravissimi! A scuola sono

e come è davvero. E non ci sono trucchi per capire chi hai davanti. Immagino che in questo le ragazze di una volta fossero ancora piú indifese di noi.

i primi della classe». Poi vai a grattare e scopri che in verità il marito le fa le corna, o lei fa le corna al marito, insomma non vanno d'accordo, i figli son delle merde, bocciati tutti gli anni, hanno solo piú da farsi le pere al parco della Colletta... il lavoro, stanno per licenziarla perché non è mai stata capace di fare niente di niente. Però all'apparenza è tutto perfetto. Forse si illudono – magari non lo fanno neanche in cattiva fede – che le cose funzionino. Però trovare la novità, anche nel sesso, è un esercizio ai confini della realtà.

C'è una coppia di miei amici, che sono fantastici. Lei, coi capelli rossi fiammeggianti, era una mia compagna delle superiori. Quando si son sposati, in comune, lui era in montgomery, lei era vestita con una mantella nera e in mano una rosa rossa. E quando il sindaco ha detto allo sposo: «Vuoi tu prendere in sposa la qui presente Margherita?» lui ha risposto: «Ma certo!» E il celebrante ha ribattuto: «Scusi, veramente dovrebbe rispondere sí». E lui: «Ma certo vuol dire sí!» «No, guardi, mi deve proprio rispondere sí». Immaginatevi la scena. Poi, finito il matrimonio hanno fatto la polenta. Questo per dire gli elementi. Un po' di tempo fa lui mi diceva: «Sai, fare l'amore con mia moglie, ormai, dopo tanti anni, è come quando suoni il citofono, sai i citofoni coi numeri? Allora, digiti i numeri, tu fai 5-6-7-# e *plang* si apre...» Anche il sesso è cosí. Sai che schiacciando quel capezzolo lí e facendo *tric truc trac*, nel giro di dieci minuti hai risolto la pratica.

L. L.

FV C'è molta curiosità, volendo tracciare un ipotetico ritratto della giovinezza femminile, sul primo contatto con l'uomo. Che tutto sommato

LA NOIA

La noia è un bel tema. Non sto pensando alla noia della coppia. Non ho praticamente mai vissuto in coppia, insomma coi ritmi usurabili della coppia. Quando ho vissuto in due è stata sempre un'avventura.

Ma la noia fa parte della vita, bisogna abituarsi da bambini a sentirla arrivare e a dire: «No, non mi avrai». Perché i mezzi per sconfiggerla sono infiniti e molto piú semplici di quel che si crede. Purché il problema riguardi te solo. La noia diventa pesante se devi condividerla. Da solo, è uno scherzo. Basta decidersi a riordinare un cassetto, fonte inesauribile di sorprese. Basta leggere un calendario appeso in cucina e contare quante feste ci sono, ognuna ha i suoi problemi festivi. Basta cercare di ricordare un nome, si può riempire anche un'ora.

La noia siamo noi. Ho concluso dopo molti anni di vita che lei non esiste. È un tema letterario.

F. V.

rimane il piú comune nel destino di una donna. Visto che il corteggiamento se lo fanno fare anche le galline, non è ancora escluso come rito per le donne; è quella sensazione sottile che isola imprevedibilmente due persone. Se vogliamo ancora parlare del passato, senza allontanarci fino ai Trenta, era una conflagrazione nelle testoline fanciulle. Un sottinteso totale in cui di preciso c'era solo lo sguardo, con la segreta speranza, quasi certezza, che al successivo incontro ci si aggiungesse qualche cosa.

LL Lo sguardo, in effetti, è importante ancora adesso. Sempre stato importante. Però ho sempre davanti a me l'equivoco. Forse perché sono miope, e quindi se percepisco uno sguardo poi mi dico: ma mi avrà veramente guardata o stava fissando la palina del tram? Ho sempre questo senso di inadeguatezza che incombe. Ma è dallo sguardo che vedi se una persona ti desidera o meno. Ed è bellissimo percepirlo. Senti proprio gli ormoni che fanno la ola. Forse della tua epoca dobbiamo recuperare proprio il piccolo segnale. Mi è successo un po' di sere fa a cena con amici. Uno mi ha visto rabbrividire, una cosa impercettibile, e mi ha detto subito: «Hai freddo, vuoi la mia maglia?» L'ho guardato come se fosse la Madonna di Fatima. Mi è sembrata una roba pazzesca. Forse mi sono abituata talmente a poco che qualsiasi roba arrivi mi pare già tantissimo. Non siamo piú abituate ai piccoli segnali. Abbiamo sempre piú bisogno di segnaloni, di colpi di cannone, perché siamo bombardati da informazioni. E invece forse quello che ci manca un po' è quella cosa del piccolo passo, dell'assaggino. Noi siamo bulimici, invece voi eravate da *finger food*, sapevate gustarvi le cose piccole che poi sono anche quelle piú intriganti.

FV Il fatto è che la televisione propone un immediato denudamento reciproco. Ma non lo credo abituale neanche oggigiorno, nella realtà. C'è di storico che nel passato un uomo poteva sbagliare, turbando l'innocenza. Oggi non so a chi dei due spetti l'eventuale sbaglio.

La Signorina Snob non si è mai fatta corteggiare. I suoi sentimenti non sono previsti nel personaggio, solo le sue opinioni. La Signora Cecioni dice del marito: «Me lo sono trovato dentro casa. Ecco tutto».

Una donna vuole essere corteggiata? Questo atteggiamento o regola del rapporto varia nel tempo. Mi pare che i primi anni Duemila hanno identificato il corteggiamento in una perdita di tempo. Indi, il rapporto amoroso, arrivando rapidamente – come si dice – «al sodo», diventa piú semplice e anche piú drammatico, l'omicidio al posto del suicidio ottocentesco. In casi estremi, naturalmente. Ne fa fede il giornalismo televisivo, testimonial del nostro costume. Siamo ridotti male.

LL   Mentre prima la relazione sessuale era la fine, il coronamento del corteggiamento, adesso tutto inizia con la scopata. A me non sembra che funzioni. Intanto perché fare subito del chupa dance cancella di netto il desiderio. Non c'è l'attesa. È subito tutto cotto e mangiato. E poi smutandarsi davanti a una persona vuol dire essere nudi anche in senso emotivo. Sarà che l'approccio femminile è diventato maschile. Forse, per essere considerata, la donna ha dovuto mascolinizzarsi come gestualità, come linguaggio, come pensiero. Ha dovuto diventare un uomo e vivere anche la sessualità in maniera maschile: questo mi piace, lo voglio e me lo scopo. Ma cosí il sesso diventa una pratica ginnica. Come fai squash e fai nuoto, fai sesso. E il corteggiamento, il gioco di sguardi, le parole dette e non dette spariscono. Chissà. Magari è persino

meglio cosí. Cogli l'attimo. Però se vuoi una storia non credo che sia la giusta partenza.

Gli uomini hanno sempre meno voglia di investire,
mettono poca energia nelle cose, poca benzina, son
sempre al minimo come i motori delle macchine
vecchie. Devi sempre fare il pieno tu, rimettere
allegria... E poi non vogliono le donne lagnose.
Certo. Però non è che tu puoi essere sempre in
full effect ventiquattr'ore su ventiquattro, trecen-
tosessantacinque giorni all'anno. Ci son giorni che
hai le paturnie, sei la regina delle *baboie*, ma nella
fase del corteggiamento la donna paturniosa non
funziona. All'uomo non piace. Perché la patur-
nia non è la fragilità (un po' di fragilità all'uomo
non dispiace, lo fa sentire dominante), ma la tigna
che ogni tanto ci viene perché abbiamo quei bei
ventotto giorni di sindrome premestruale, quella
no, non la capisce, quella lo allontana.

FV   Però alla donna piace l'idea di essere corteggiata.
Certi sguardi guidati dall'intenzione, un fiore, una
cartolina da un luogo significante: ecco, ci sono
delle piccole mosse che ti fanno sentire prescelta.
Per la fanciulla è stata una fase molto significativa
della sua vita, infatti il corteggiamento è piú nelle fantasie di una donna matura che in quelle di
una ragazzina. A tutto il furtivo, negli anni Cinquanta si è aggiunto qualche tavolino per un caffè
con dolcetto nell'angolo di un bar (fuori mano), e
negli Ottanta la pizzeria. Meno segretezza. Dai
Novanta, week-end completo. La semplificazio-
ne penalizza il ricordo, che è un curioso labora-
torio mentale che si compiace delle piccole cose.

IL PRIMO APPUNTAMENTO

Al primo appuntamento bisogna fare un po' «finto per caso», per non far vedere che ci si tiene troppo. Anche perché se vai dall'estetista, gli effetti benefici dell'estetismo, a meno che non vai a farti truccare, arrivano dopo due o tre giorni. Per esempio, se vai e ti fai fare la pulizia del viso e arrivi a cena, sei tutta piena di pizzichi, di bolle, di ponfi... quindi non va bene.

Dal parrucchiere, uguale. O vai da quei parrucchieri che quando esci sei piú spettinata di prima, oppure se sei troppo coiffata lui lo nota. Invece tu devi lanciare il messaggio che dice: «Allora, io sono qua perché tu me l'hai chiesto, ma francamente avevo Giovanni, o Francesco, e potevo anche andare a fare il corso di merengue o quello su come preparare il plumcake... Ho deciso che ci vedevamo, vabbe', ti faccio questo favore. Ma sono venuta un po' come mi è capitato». Però poi tu a casa ti prepari per ore. Ma il messaggio che deve passare è quello. E poi una donna che è andata dal parrucchiere, quando quello comincia a sfrucugliarla ha sempre un po' il fastidio perché pensa: «Cavolo, sono appena andata dal parrucchiere! Non spettinarmi! Non mettermi le mani nei capelli ché me li ha girati sei ore e dovrebbero almeno reggere fino a dopodomani, almeno, almenissimo...» Quindi l'uomo si spazientisce. Meglio lavarsi i capelli da sola e pregare il signore. Perché poi i capelli vanno anche un po' come

LL   Questo è bello. Il ricordo è fatto di piccoli particolari ed è anche mendace. Cioè, a volte si inventa le cose. Dà dei significati a fatti che di per sé non ne avevano. Costruisce, fa dei ricami, degli arazzi di pensieri, e a volte finisce che prendi delle cantonate che ti rintronano per anni.

vogliono loro. Come quando hai il week-end al mare e ti viene il ciclo, o i colloqui di lavoro e ci hai l'herpes.

Dicono che nell'armadio di una fanciulla ci deve essere sempre un tubino nero. Io vorrei sapere se qualcuno ha ancora un tubino nero. Perché non si usa piú.

Poi ci sono delle cose che prima le mettevi e poi improvvisamente quando decidi di metterle ti vedi che ti fai schifo. E non sai come sia potuto accadere. Che fino a un mese fa ti stava benissimo quel vestito là. E ora non ti sta piú bene. C'è una mia amica che fa cosí: fa gli abbinamenti e li fotografa con la Polaroid. Tutto stabilito. Insomma ha già tutti gli abbinamenti pronti.

Per esempio, una vera donna, elegante, sa che ci sono dei vestiti che possono essere messi soltanto in certe occasioni e abbinati in un certo modo. Invece noi che siamo donne che abbiamo sempre seimila cose da fare, pensiamo sempre che possiamo abbinare tutto. Anche con le borse. Io ne ho una e per un po' uso quella. Non mi metto a travasare tutte le volte tutto. Anche se tendenzialmente la prendo nera o di colore neutro. Invece bisognerebbe riuscire ad abbinarla, anche quella.

Poi ci sono delle maglie che stanno bene solo con quel tipo di pantaloni lí... quindi è inutile che ti intigni a mettere quella maglia con un altro tipo di pantalone. Invece noi vogliamo che tutto vada bene con tutto. Infatti, almeno nel mio caso, spesso facciamo schifezze.

L. L.

Ma esistono ancora gli uomini che regalano le rose rosse, aprono la portiera, versano il vino? Sei sicura? Forse io conosco soltanto esemplari di *homo sapiens*, abominevoli uomini delle nevi. Però ti devo anche dire che alcuni segni di corteggiamento della tua epoca mi sembrano tante piccole manette. Mi farebbero venire l'affanno. Dopo il fiore c'è l'invito a teatro, poi scatta l'anello, poi arriva la presentazione alla famiglia e da lí alla bomboniera con i cigni di Swarovski è un attimo. Il percorso segnato lo trovo ansiogeno. Non mi piacerebbe.

Invece io penso che una cosa che piace molto alla donna è qualcuno che le chieda: come stai? Tutto lí. A me quello che manca di piú al mondo è proprio uno che mi chieda come sto. Perché sono sempre io a chiederlo agli altri e a occuparmi del loro benessere. Sarò banale, una femminuccia vanitosa, ma mi piacciono anche i complimenti piccoli, tipo, non so: stai bene pettinata cosí o come sei carina oggi. Quelle robe facili, che sembrano sciocche, ma in realtà fanno. Perché vuol dire che la persona con cui stai ti guarda ancora. Invece quando stai con degli uomini per tanto tempo, puoi anche arrivare a casa con la testa rasata come Demi Moore in *Soldato Jane* e lui manco se ne accorge. Non lo fa per cattiveria, solo che non vede piú niente di quello che ti succede. Tante volte a me capita che mi taglio i capelli, arrivo a casa e lui non dice nulla. Né nel bene né nel male. Devo prendere a testate il citofono perché si accorga di qualcosa. Ma a questo punto il corteggiamento è un lontano ricordo.

Che nostalgia ripensare alle prime uscite. Hanno regole semplicissime. Per prima cosa lui deve venire! No, perché ci sono anche quelli che danno l'appuntamento e poi non vengono, trovano delle scuse. Poi non deve metterti subito le mani nelle mutande. Forse sono vecchia, old style, ma

mi sembra esagerato. Devi prima creare un po'
di confidenza. Poi. Non deve parlare sempre lui
che alla fine ti sanguinano le orecchie. Non deve
farsi venire a prendere. E poi non deve dire, magari dopo il cinema quando tu hai fame: «Ma io
ho già mangiato per cui vado a casa».
Non c'è niente da fare, per me il maschio bisognerebbe noleggiarlo al bisogno. Come negli ae-
roporti, che c'è scritto «Rent a car», uguale. Tu
arrivi e lo noleggi per un tot di giorni.
Oppure lo attivi come le assicurazioni, quando
ti serve.

FV   E il caso «sedotta» sarà pure esistito, no? Certamente. Con piú facilità nel genere figlia della
cuoca, ma anche fra gente «perbene». Difficoltà
oggettive rendevano la pratica piú insolita, anche
il fatto che il termine «sedotta» indicava una vi-
cenda oggi normale. Non spetta a noi giudicarle.
Cosa ricadeva sulla vittima? Al Sud qualcosa di
drammatico, al Nord comunque un accordo. Difficilmente l'episodio passava inosservato. Era piú
grave la delusione dei genitori che il godimento
dei colpevoli. La fanciulla era segnata a vita. Lui
era meglio che emigrasse.
E tutto questo per un decennio ancora.

LL   Tu stai parlando di una specie di maschio che
non si estinguerà mai. Una razza che si adatta anche al Raid come le blatte. Il principe bastardo,
quello che sparisce. Quello che c'è tantissimo e
poi un attimo dopo non c'è piú. Che all'inizio è
luce, come i riflettori dei concerti dei Police, poi

improvvisamente, *clic*, si spegne. Di colpo. E tu chiedi: «Senti, fammi capire, che cosa è successo? Voglio solo capire cosa è successo». Mia figlia dice: «Io voglio solo capire perché». Tesoro, non te lo dirà mai perché. Perché non lo sa neanche lui! Son quelli i principi bastardi. E tu ti senti cretina, perché pensi che il problema sia tu. Invece il problema sono loro che sono stronzi. Codardi. Vigliacchi. Senza palle. Scappano via come lepri quando avvertono che il gioco è finito e forse c'è il rischio che il chupa si trasformi in amore... E tu ti ripeti che sei balenga, che non hai capito niente, che hai fatto qualcosa di sbagliato, che non hai mandato i segnali giusti. Ma tant'è. L'unica, con un principe bastardo, è farsela passare. È inutile stare a scortecciarsi il cervello. Devi pensare che piano piano passa. Certo, non è facile... Perché quelli cosí bastardi ti entrano dentro le viscere come l'Escherichia coli, e poi hai voglia a debellarli...
Scusami, Franca, ma mi son lasciata prendere dalla foga.

FV   Scusa, Luciana, ma anche io ho bisogno di una precisazione che sembra richiesta dalla tua foga. Ho spesso nominato la figlia della cuoca, individuando in un ricordo infantile il simbolo di una classe popolare rispetto al mondo borghese in cui sono cresciuta. I due mondi non si differenziavano poi tanto rispetto ai principî in cui crescere le femmine di casa, considerando che la chiesa vegliava su tutti e due. Esistevano però degli improvvidi «educatori» nel cosiddetto signorino, nel

IL PROBLEMA DELLE PAROLACCE

Io sono abbastanza educata e so che le parolacce non si devono dire, ma non riesco a non dirle. Perché sono liberatorie. Se le dici in maniera aggressiva sono volgari, se invece le usi per lo sberleffo perdono quella connotazione lí. Io non ce la faccio a non dirle. Vado proprio in astinenza. Non vendono neanche i cicles da masticare come quelli alla nicotina. Forse basterebbe fare con le parolacce come per le sigarette. Ne dici solo tre al giorno. Una dopo pranzo, una dopo cena e una la sera guardando la Tv. Quella te la godi proprio. Ti metti in poltrona, in pigiama, e via che ti liberi. Vespa di solito fa venire molta voglia. Il problema è che io sono un'estimatrice della parolaccia. Ci sono momenti nella vita in cui la parolaccia è d'obbligo. È proprio necessaria. La parolaccia vera, liberatoria, autentica. Odio quelli che dicono: «Porca trota, vaffanbrodo, mi stai rompendo i cosiddetti». Il massimo sono quelli che dicono: «Ammappalo». Se ci tenete ho un piano d'emergenza parolaccia. Dirò solo: «Non farmi girare i bumbastik, merdarola e Vacheron Constantin». Che è una marca di orologi, ma vien bene come parolaccia. E poi vaffanculo, perché ci sono cose nella vita che si risolvono solo con un vaffanculo.

L. L.

padrone, nel soldato della domenica. Personaggi spazzati via dal progresso sociale e rimpiazzati da altri peggiori. Mancano però le cuoche, e di conseguenza anche le figlie.

LL A proposito di cuoche, e cambiando argomento ché ne ho bisogno, io sono molto affezionata alla

LA PAROLACCIA DELLA LITTIZZETTO

Il tuo «elogio della parolaccia» non tiene conto del fatto che l'hai personalizzata; è diventata un tuo simpatico vezzo, prima o poi ne butti lí una e sembra quasi che si sistemi bene nel linguaggio piú che definibile «un buon italiano». Del resto l'ingresso delle parolacce nel vocabolario aggiornato credo sia riscontrabile.

Chi parla male anche senza scendere nel turpiloquio è come se lo facesse. Ne abbiamo quotidiani esempi. Ma ammetto, pur condividendo l'uso vocale, escludo quello letterario. È strano come la parolaccia passi quasi inosservata e anche divertente nei rapporti abituali, e sia insopportabile nello spettacolo. Non regge all'interpretazione. Al quarto «cazzo» verrebbe voglia di lasciare la platea.

Per concludere, non è il mio sfogo preferito, la parolaccia. Sbattere una porta neanche, perché casca la chiave. Forse la rabbia bisogna tenersela. Prima o poi passa.

F. V.

minestrina. Quand'ero piccola mi faceva cagarissimo, adesso mi sono resa conto che bisognerebbe istituire la Giornata mondiale della minestrina. Perché ti tranquillizza, ti coccola, e secondo me a volte abbiamo proprio bisogno di essere sciacquati. C'è un solo problema. Se tu gli fai la minestrina, il maschio ti dice: «Ah, che bella idea la minestrina!» Ma poi aggiunge: «E adesso di primo cosa c'è? L'amatriciana?» Perché loro hanno sempre bisogno di mangiare un trancio di dinosauro. Il legame tra gli uomini e le donne è nato per questo.

Nella notte dei tempi l'uomo viveva libero e indipendente, una foglia di fico per nascondere le pudenda e gli occhi pieni di spazio e orizzonti, poi a un certo punto gli successe qualcosa. Tornato dalla caccia e messosi a sbranare da solo una coscia di brontosauro, sentí una necessità impellente. Un'urgente voglia di femmina. Ma mica per soddisfare un impulso sessuale. Tutt'altro. Per un desiderio che partiva da piú in alto. Dallo stomaco. L'uomo primitivo cercò una femmina, sai perché? Perché gli preparasse il contorno. Due patate alla brace, una palletta di erbette, qualche asparago alla piastra. Fu il suo tratto digerente a richiedere la presenza femminile. E una fisiologica mancanza di fibre e vitamine a decretare l'unione tra lui e l'altro sesso. I trattati di evoluzione non ne parlano, ma io sono sicura che deve essere andata proprio cosí. Poi a un certo punto l'*homo sapiens* avvertí anche il bisogno di frutta e lí c'è stata la mela, Adamo ed Eva, il paradiso terrestre… Il resto è storia nota.

Il maschio ha bisogno di tempo per abituarsi. È come per i cani quando gli insegni a fare pipí sul giornale, che all'inizio non capiscono. L'educazione dei maschi consta nell'abituarli a mangiare un piatto solo. Perché loro sono geneticamente portati per il primo, il secondo, il contorno, la frutta e il dolce. Cosí il vero problema della donna diventa fare la spesa, cucinare e soprattutto inventarsi cosa fare. Pranzo e cena, un incubo.

Adesso ci si mette anche la roba biologica. Non si può mangiare carne tutti i giorni, devi mangiare pesce. È complicato. Mi fuma il cervello alle volte.

Perché qui si spalanca un'altra novità. Gli uomini oggi cucinano. C'è un solo problema. Che poi lasciano una cucina che ci vuole Bertolaso e la protezione civile per rimettere tutto a posto. Il mio boy è un bravo cuoco. Ma per fare una carbonara usa settanta, ottanta pentole. La cosa bella è che, quella volta all'anno che lui fa la carbonara, tutti dicono: «Eh, certo che quando fa la carbonara Davide...» Peccato che io spignatto tutto l'anno... Lui cucina una volta: alé... applausi... parte la ola... Davide poi fa bene la trippa, la pasta con le triglie e gli asparagi con le uova... due o tre cose. Però perché si degni di farle bisogna fare la domanda in carta da bollo e poi, come per il passaporto, ci vogliono tre o quattro mesi.

FV L'uso dell'uomo nella vita domestica è piuttosto recente. Meno recente quello della donna nel mondo del lavoro.
Negli anni che mi toccano per diritto di anagrafe l'uomo era oggetto di riguardo in alcuni casi, di ingombro in altri. Non era certo previsto come collaboratore domestico.
«Vai di là, caro. Sto cambiando il bambino, è roba da donne».
«Gustavo, ti prego. Non venire in cucina, mi fumi sull'arrosto».
La divisione dei ruoli era una parte importante delle istruzioni. Tanto importante da essere intuitiva. Quando lui diceva a tavola: «In questo gratin ci avrei messo anche la gruviera», suocera e figlia scoppiavano a ridere intenerite. Adesso lui fa degli ottimi gratin indisturbato. È piú fa-

cile che la moglie compili l'opuscolo delle tasse mentre lui cambia il bebè.

LL   Oggi esistono due categorie di maschi. Quelli che sono presenti in casa e aiutano fattivamente. E quelli che non fanno niente e quando fanno qualcosa rompono l'anima. Prediamo l'esempio della spesa. Il maschio per sua natura odia fare la spesa. Certo, perché lui si annoia al supermercato. Tesoro. Invece noi ci divertiamo come pazze. Se tu fai la spesa da sola ci metti dieci minuti, al massimo un quarto d'ora. Se la fai con lui ci metti un giorno, un giorno e mezzo. Perché quando arriva al supermercato il pirlone sdà. Comincia: «Prendiamo questo?» E tu diventi tignosa, diventi vecchia, una vecchia tignosa. Allora per non diventare di quelle vecchie mogli acidine e tignosette, fai finta di niente, chiudi gli occhi… Eppure, per un fenomeno ignoto della fisica, vedi lo stesso attraverso le palpebre chiuse che lui mette dentro il carrello delle robe schifosissime. Perché quando va al supermercato, il maschio compra sempre delle cose disgustose. Tu cerchi di farlo mangiare sano e lui compra delle vaccate. E poi esagera con le dosi… Deve comprare gli stuzzicadenti? Non ne prende una confezione. No. Prende duecentocinquanta scatole di stuzzicadenti. Arrivi alla cassa e c'è uno scontrino che è lungo come la Torino-Milano e lui casca dal pero: «Oh, ma come mai?» Eh, come mai, pistola… hai comprato la qualsiasi! Per esempio, Davide compra mestoli e colapasta tutte le volte che andiamo al supermercato. Abbiamo mazzi di colapasta. Non resiste. Tutte le volte sente che ha bisogno di un colapasta. Che poi la colasse qualche volta 'sta cacchio di pasta...

Ma la vera e unica domanda è: a che cosa servono gli uomini? Difficile dirlo. Soprattutto oggi. Proprio oggi, oggi che siamo qui a parlarne. Be'... fammi pensare... Certo, quando entra in casa un pipistrello vorresti tanto avere un uomo accanto. Un'altra cosa a cui servono gli uomini è a uccidere gli insetti grossi, questo sí, noi non abbiamo ancora imparato a farlo. Anche a spostarti i vasi, d'inverno, quando devi mettere dentro le piante, perché se no gelano. A portare l'acqua in casa se ci sono tante scale da fare. E poi a dirti: «Ma no, tanto non è importante. Non ti fare troppi problemi». Perché loro non hanno mai l'idea che sia una cosa grave. Poi magari è una cosa spaventosa. Terribile... Ma per loro no, non è niente. Aiuta. Certo, questo quando stai male tu. Poi quando stan male loro è la fine. L'apocalisse. Gli ultimi giorni dell'umanità.

Però è vero che oggi c'è un'inversione dei ruoli. È in atto una trasformazione genetica per cui la donna sta diventando uomo e l'uomo donna. Anche in famiglia, ed è un po' disturbante, perché si perdono i confini, non si sa piú chi fa cosa, e c'è il rischio che il padre perda la sua autorità. Comunque questa specie di rivoluzione può anche essere foriera di cambiamenti positivi. È un modello per i figli vedere che siamo tutti multi-tasking e che possiamo scambiarci i ruoli. Che non è detto che fare la mamma voglia dire fare quelle cose lí e fare il papà voglia dire fare quelle cose là. Un papà che aiuta in casa ed è presente è molto educativo. Dà l'idea di una collaborazione e di una cosa che si fa insieme, la famiglia. Non la fa solo la mamma. È educativo per i maschi, perché poi quando verrà il loro turno probabilmente si ricorderanno di come faceva il loro padre. Perché, in effetti, se tu hai avuto un padre che non faceva niente, poi diventerai un altro marito che non fa una mazza. In verità siamo noi che educhiamo i maschi, noi mamme e noi mogli.

FV Tesoro, l'uomo che io sappia ha sempre lavorato. Forse meno in casa, anche niente, e di piú fuori. Comunque a me la specializzazione non dispiace. Persino il lavoro del malavitoso uomo è diverso da quello della malavitosa donna.
Nelle case dove c'erano le cameriere lui era «il signore».
«Porta a risuolare le scarpe del signore» (nota bene: *risuolare*, non *buttare*).
«Hai strinato la camicia del signore, prova a rilavarla».
Parlandone con la madre era «mio marito». Molti germi brulicavano in quel rispetto affettuoso.
Queste note non esulano dal tema dell'educazione delle fanciulle. La giovinetta cresceva con una sostanziale ammirazione per lui, e se mai parlava della famiglia diceva preferibilmente «papà» o precorrendo i tempi «il boss». La mamma, specie per una snob, era «quella povera donna». Senza il piú lontano sospetto morale.
Se ne parla ancora dei genitori, o si hanno e basta? (Questa era educazione dal vivo).

LL   Oggi la domestica non ce l'abbiamo. Abbiamo la signora a ore. Lo dico sempre. Dietro un grande uomo c'è sempre una grande donna. E dietro una grande donna, c'è sempre una grande colf. Di questo sono assolutamente convinta. Dalla colf dipendiamo molto. La mia si chiama Modesta. Intanto il nome è già una garanzia... È romena. Parla in un idioma tutto suo, che soprattutto capisce solo lei. Io cerco di intuire quel che dice da come muove le mani e da come rotea gli occhi. Si dà un gran da fare, peccato che abbia la potenza distruttiva dell'uragano Katrina. È un po' come se le pulizie le facesse col machete. L'altro giorno ho trovato una lampada rotta. Allora le ho chiesto: «Hai rotto la lampada?» E lei: «Sí, si è rotta». Certo. Colpa sua. Della lampada. Che improvvisamente ha deciso di suicidarsi, di buttarsi giú dalla mensola e di porre fine alla sua esistenza. Ma la vera passione di Modesta è il bucato. Lava tantissimo e sempre a una temperatura da fusione nucleare. Non le dà soddisfazione lavare a trenta gradi. No, lei deve lavare a novanta. Per cui tutto si rattrappisce e cambia anche colore. Avvengono delle mutazioni genetiche nei capi. Un caftano può diventare un top in una sola seduta di lavaggio. In piú è molto religiosa, ortodossa. Quindi ci rimane un po' cosí per le cose strampalate che faccio e che dico. A volte mi chiedo come dev'essere vedere una famiglia dall'esterno, viverci insieme tutti i giorni rimanendone fuori. Ho il sospetto che forse le colf sappiano tutto di tutti. Forse sono le uniche a conoscere i segreti dei figli.

FV   Fra i metodi educativi del passato, per ciò che riguardava la fanciulla c'era l'esercizio dello spionaggio. Le madri, di qualunque genere fossero, partivano dal principio che «la bambina non me la conta giusta». A proposito di cosa, non era sempre chiaro.

Di conseguenza, le figlie mentivano.

Nascondere il diario era una delle principali necessità create da questa scambievole situazione. Il diario conteneva dei pensieri, e i pensieri della prima giovinezza sono per loro natura inconfessabili, figurarsi alla mamma.

Alle madri che la figlia pensasse per conto proprio appariva preoccupante. Lo spionaggio diventava scientifico quando ai pensieri si univa il sospetto di «fatti».

Da questi metodi fastidiosi sono nate milioni di donne, per molte i pensierini segreti del diario si sono trasformati in idee e voi, senza menzogne, ne siete la conseguenza.

Cosa spingeva le madri al sospetto? La vita era un vicolo scuro? Gli uomini dei furbi seduttori? Qualcosa di vero c'è, e continua a esserci.

Il diario si fa ancora. Non dite di no, lo so per certo. E su carta. Sennò come si nasconde?

LL   Io so soltanto che una volta ho beccato il diario di mio figlio. Era appena arrivato da noi. Uno di quei diarietti personali col lucchetto. Solo che il lucchetto era aperto e io non ho resistito. Scriveva: «Io mi trovo bene in questa famiglia nuova. Mi vogliono tutti bene e son gentili… L'unico problema

è che mi fanno mangiare i cavolini di Bruxelles».
E lí mi sono sentita una merda. In effetti i cavolini di Bruxelles sono veramente impegnativi. Non
solo per i bambini in affido.

FV   Per impegnativo che sia il cavoletto di Bruxelles,
resta aperto il mistero sullo specifico sessuale. Chi
e come ne ha informato la fanciulla in questione?
Gli anni Trenta avevano certamente altro da pensare, ma non abbastanza per non spaventare la
creatura sul pericolo di sbrigarsela da sola o con
l'aiuto di un estraneo. Il cinema forniva solo il
bacio finale, spesso in abito da sera. I libri porno-
grafici non si tenevano in casa, i grandi romanzi
non scendevano in dettagli. Si sa come Manzoni
riassume la turpe storia di sesso della monaca di
Monza: «La sventurata rispose».
L'amica sposata, l'unica, tanto che la madre sorve-
gliava durante quelle chiacchierate a porta chiusa
e riteneva opportuno intervenire con una meren-
da. Credo sia l'ultimo decennio che abbia dato
tanto daffare allo sposo in viaggio di nozze. Sono
i casi (rari) in cui il matrimonio finiva lí e inter-
veniva la Sacra Rota.

LL   Sembrerà un luogo comune, ma oggi apparen-
temente siamo bombardati di informazioni, però
poi nella sostanza c'è una grandissima confusione.
Adesso per le ragazzine il sesso è la prima forma
di comunicazione. Prima di parlare quasi quasi si
scopa. Esperita quella pratica si può andare altro-
ve, a pensare, a chiacchierare. Lo dicevo l'altro
giorno in macchina ai miei figli: questo modo di

fare da una parte è liberatorio, divertente, tutto quello che vuoi. Però dall'altra parte dopo un po' non hai piú niente da scoprire dell'altro, hai già consumato tutto.

La bellezza, soprattutto quando si è piccoli, è l'innamoramento, i primi strofinamenti, gli sfregamenti di pantalone. Quelle cose lí, che piano piano arrivano. Perché poi, nonostante tutto, i ragazzini continuano a non essere esperti e quindi sí, magari fanno l'amore, ma fanno dei casini. E la cosa non è poi cosí divertente come potrebbe essere. Io mi ricordo il mio primo bacio, non si capiva bene la lingua dove metterla e soprattutto quanta metterne, perché anche lui non era esperto. Se ci pensi, due lingue in una bocca sola fanno effetto ascensore, non sanno mai dove mettersi. Oppure ci son quei baci in cui i maschi fanno invasione. Che quando ti baciano pensano di essere a casa loro. Se non stai bene attenta, per limonare ti fanno la gastroscopia. E poi ci sono quelli bravi. Che baciano cosí bene da mandarti in estasi, da farti credere che la mano che ti ritrovi sul sedere sia la tua. Il bacio che ti fa vedere gli universi stellati, i cavalli al galoppo, le sfere celesti... tutte cose aeree ed eteree mentre dal basso senti qualcosa di meno etereo che si risveglia. Il bacio è una cosa bellissima, è fondamentale, è dal bacio che capisci il tuo futuro, non dal piano accumulo pensioni... ve lo posso garantire io che sono esperta. Ho baciato Pippo Baudo, non so se mi spiego. Per me adesso è tutta una strada in discesa. I primi baci sono le cose che ti ricordi di piú. Questo per la pratica. Per quanto riguarda la teoria, la mia formazione sessuale è stata un po' scolastica. Avevamo una maestra elementare molto brava, la Bertoglio, che ci aveva dato un libercolo sul sesso. Lei non ne parlava in classe, però noi lo facevamo girare. C'erano i paragoni floreali, come sempre, però poi ti spiegava esattamente cosa succedeva, cioè, come funzionava meccanicamente, che anche quando io ero alle elementari non era una cosa tanto consueta. Poi, certo, alle medie, c'erano le amiche più scafate di me che mi spiegavano ogni cosa per filo e per segno, senza possibilità di equivoco, il tutto corredato da gesti molto esplicativi, tipo le hostess alla partenza dell'aereo.

FV   Le amiche? Non imperava il femminismo, ma come parlare di uomini se no? Almeno una era «legatissima». La Signorina Snob, se vogliamo tirarla in ballo, per viaggi, cene, teatri era più fornita di amici maschi (amicizia, s'intende), il Pierone, il Mimi genio, il Lodo e il Tato inseparabili come i miei pappagalli, eccetera. Era meno benevola con le amiche. Quella tonta integrale dell'Ildefonsa, sai che non legge al di là di *Pinocchio*? La Camillona (40 di piede) non ti si presenta alla Scala col vestito dell'anno scorso? Mentre la Signora Cecioni, immutabile nei secoli, si mostrava mal fidata. «Io a 'n'amica manco la ricetta der sugo je dico. La donna sta zitta solo cor confessore». Concludiamo che la fanciulla anteguerra era una bestiola da allevamento.
L'aggressività delle donne di oggi (ma qui parliamo delle giovani, se no il discorso sarebbe eterno

e anche sgradevole), aggressività che si consuma soprattutto in televisione, mi sembra piú che altro una lezione imparata male. La grazia perversa del Settecento non le sfiora.

LL Se parliamo di aggressività femminile, non si può tacere il fenomeno delle single di ritorno. Le separate, le divorziate, quelle ancora o di nuovo sole a me fanno paura perché sono disposte a qualsiasi cosa, non si fermano davanti a niente. Se potessero mettere la jolanda sul bancone del bar tra i cappuccini la mattina, lo farebbero. E cosí a tante donne viene un atteggiamento quasi maschile. Perché c'è proprio questa differenza sostanziale. Le donne prima vanno a letto con qualcuno e poi dicono tantissime cose d'amore. Gli uomini prima ti dicono tantissime cose d'amore, tu ci vai a letto e poi non te le dicono piú. Il problema quindi è un altro: dopo, dopo il chupa intendo, della tua jolanda cosa te ne fai? Se ti viene rispedita al mittente senza ricevuta di ritorno... dico... Ma anche conservarla troppo a lungo non va bene. Perché la jolanda è come i Bot. Tu la conservi, la conservi, metti da parte, metti da parte, ma poi perde valore. Guarda cosa succede in borsa. Ma mica solo a Milano. Anche a Tokyo. Dappertutto è cosí. Bisognerebbe essere cosí furbe da utilizzarla nel momento giusto, ma è difficilissimo. Qb, come c'è scritto nelle ricette di cucina, quanto basta. E non c'è amica che ti possa consigliare.

FV Sai, nel bel tempo antico le fanciulle avevano delle amiche, adesso hanno preferibilmente degli amici. L'amica era una sé stessa nello specchio, ai bordi delle esperienze, simili cerimoniosità, simili famiglie, il carattere di una rimbalzava su quello dell'altra. Essere troppo simili serve poco per crescere, ma si dicevano quando si ritrovavano: «Mamma, quanto ci siamo divertite, le risate!» Questo rapporto non lasciava tracce indelebili. Salvo eccezioni. Era molto emozionante conoscere il fidanzato della migliore amica. In quell'occasione due cose erano chiare: la prima, che quell'amicizia giovanile era finita; la seconda, che una non capiva come quello potesse piacere all'altra. Tutto questo non fa parte delle mie esperienze, dato che ho avuto amicizie straordinarie.

LL   Conoscere il fidanzato delle amiche è sempre bellissimo. Perché poi gli fai la Tac e trovi sempre il difetto e la magagna giusta. E si spettegola. Che tutto sommato è un'operazione divertente e liberatoria. Se non fai neanche un po' la pettegola sui fidanzati delle amiche che vita è? Non ti droghi, non scopi in giro, non bevi, non fumi, almeno tagli un po' di colletti.

Le donne che parlano tra loro di uomini oggi tendono a dar loro dei cretini, mentre prima avevano una soglia oltre la quale non si spingevano. Ora dicono qualsiasi cosa. Ti raccontano anche cosa fanno a letto. Non hanno piú nessun tipo di remora. E quindi, evidentemente, se tu metti al corrente l'amica anche dei particolari piú intimi che riguardano la tua vita, è ovvio che poi l'amica si senta libera di intervenire a piedi uniti. Quando l'intimità supera il livello di guardia, tutto diven-

ta pericoloso. E questo vale per tutte le amicizie.
Maschili e femminili.

FV Gli amici maschi di oggi non escludono le amiche, ma il rapporto confidenziale, base di una
vera amicizia, è con lui. È diverso! Vuoi mettere
come ci capisce di piú.
Sembra una contraddizione, ma non lo è. Il sesso non è mai con lui, con un suo amico. Sotto la
sua protezione. È un'amicizia che resta, contra-
riamente a quell'amore con l'amico.
Già: i sentimenti esistono ancora. Hanno altre direzioni. È cambiata la mappa, non la donna.

LL Infatti gli amici maschi che ho sono i mariti o i
fidanzati delle mie amiche. Non ho amici etero-
spaiati, anche perché alla mia età non ci sono piú.
Ci sono quelli di ritorno. I divorziati. Poi ci sono
certe piattole, tipo quelli che si sono separati che ti
raccontano ancora della moglie che li ha lasciati dieci anni fa e ci hanno ancora 'sta chianga nella testa.
In ogni caso rimane anche oggi l'annosa questione: può esistere l'amicizia tra maschi e femmine?
Vorrei tanto che fosse cosí, ma poi c'è sempre un
côté che... c'è sempre una scivolatina. Non so se
vale per tutti, ci sono state delle situazioni in cui
ho dovuto non dico interrompere, ma tirare un
po' i remi in barca perché sentivo che era pericoloso. Non sono sicura che fosse cosí anche da
parte loro, però non mi sembrava una roba di pu-
ra amicizia, c'era sempre un po' questo cadere di
lato. Siccome hai ancora gli ormoni in piena atti-
vità, se lui non è gay, il rischio esiste.

FV   Una pennellata che ci vuole.

L'amico gay è certamente una parentela moderna. Non è né quel «carissimo» della Signorina Snob, né quel riposante consigliere compagno di scuola del fratello, né quel ragazzone conosciuto in crociera, «che non credevo fosse cosí intelligente». No. È un'amicizia di tipo anomalo e molto personale. La possibilità albeggiava nell'immediato dopoguerra, quando la fanciulla non capiva neanche cosa lo «differenziava». Io non sono la piú adatta per parlarne; sono di parte. Ho la fortuna di essere amata dai gay per ragioni artistiche, spesso chiamata *queen* o *icona.*

Ma l'amicizia è anomala in genere perché la fanciulla in questione deve tollerare un giudizio ironico, che essendo ironico è piú arduo di quello delle altre donne. Dopo c'è l'amicizia vera, e spesso divertente. Poco capita dalle madri, per ovvie ragioni.

LL   I miei amici maschi sono soprattutto gay. Anche perché oggi ci sono un sacco di gay. Una volta non ce n'erano cosí tanti. Metti che tu vada a una festa e ci sono tre maschi. Uno è fidanzato, l'altro è orrendo e il terzo è figo. Ok? Tu ti avvicini, gli sorridi, e dopo cinque secondi che ti parla vorresti già dar la testa contro il muro perché è gay. La verità è che il maschio omosessuale è molto piú in sintonia con la femmina. Vibra nello stesso modo e questo può essere un problema, perché tu fanciulla ti crei un modello di uomo molto femminile che ha poco a che fare col maschio eterosessuale.

Per cui finisci per cercare quella sensibilità, affabilità e gusto per l'arte nel tuo fidanzato. Ovviamente, non li trovi e ti sembra di avere a che fare con un orangotango.

FV   Non dimentichiamo un tema tutt'altro che trascurabile: l'omosessualità, come presenza nella società e quindi nella cultura.

Fino a molto avanti nel Novecento era un reato. Ecco un'altra valanga di cognizioni vietate alle fanciulle. Non parliamone poi se l'omosessualità si presentava in famiglia; il dramma assumeva proporzioni epiche, anche se è molto difficile mettere sotto processo la natura. Questo è stato un processo molto lungo, ma vinto. E ha spalancato mondi alle striminzite cognizioni delle ragazze in questione, le «fanciulle».

L'omosessualità liberata parla, informa, supera a grandi passi l'eterno problema del rapporto fra i due sessi. Ne ha altri, che in queste pagine non ci riguardano.

LL   Io sono come doña Flor e i suoi due mariti. Perché ho un marito ufficiale, che è quello con cui vado a letto. E poi ne ho un secondo che non è un fantasma, ma è un uomo in carne e ossa. Tutto gay però. Se devo andare alle mostre, al cinema, a teatro, a fare shopping o all'Ikea, vado con lui. C'è molta affinità; è più facile. E se mi viene voglia di andare a vedere un balletto, con lui ci posso andare. Se lo dico a Davide, lui prende la Luger e mi spara in faccia. Il balletto non è contemplato nel suo orizzonte. D'altronde per lui il massimo del godimento è andare a farsi un giro rigorosamente solo sulla Harley... Come posso pensare che apprezzi i volteggi sulle punte? Ai tuoi tempi si andava a ballare?

FV   No, l'espressione «andiamo a ballare», che presume un locale apposito, non esisteva. Per ballo si intendeva una festività organizzata. Sull'aia per la figlia della cuoca, al circolo per la figlia di papà. Vestito, scarpe, capelli in ordine lavati in giornata, preferibilmente dal parrucchiere. Un cavaliere veniva a prendere la fanciulla, in smoking o almeno in blu. Macchina del padre, una cordiale telefonata fra le madri. Non era quasi mai il suo «futuro». Contenti?
Del resto l'unico locale dove si poteva andare «non vestite» era il cinema. Certo non sole (le donne). Descrivendo una donna si pensa comunque a vestirla, nell'immaginazione di una fanciulla è un momento molto particolare. Attualmente il discorso è molto abbreviato.
«Sei già giú? Mi infilo un paio di pantaloni e vengo».
Con che borsa? Zaino. Con che scarpe? Quelle che ha. Ah! Il casco.

LL   Scusa, Franca, ma dipende anche dove devi andare e con chi devi uscire.
Se devi uscire con quello con cui dividi l'esistenza ventiquattr'ore su ventiquattro, ti metti le ballerine, prendi lo zaino e te ne sbatti. Se invece devi fare qualcosa di piú serio, per esempio un primo appuntamento, ti prepari, magari non con il cameo

LA DOCCIA

La doccia è un termine che è entrato nel nostro vocabolario non come «doccia», che c'era già, ma col suo articolo, che può essere – è specificato – determinativo o indeterminativo.

La doccia: non sappiamo neanche a che altezze del vivere attuale è arrivata, non come irrorazione idrica, ma come espressione simbolica ed essenziale della rete che raccoglie come pesci guizzanti i nostri gesti quotidiani.

Il linguaggio se ne giova, la morale l'ha accolta in tutta l'evidenza del suo significato sbrigativo e moderno.

«Faccio una doccia e ti raggiungo».

«Mi faccio una doccia e vado a letto».

«Che fretta! Fammi almeno fare una doccia».

«Va bene occupare la fabbrica, ma come fanno a farsi una doccia?»

«Carletto si fa la doccia ormai da solo».

Il bagno non ha mai goduto del privilegio di questo presenzialismo. Nemmeno le nonne degnano di uno sguardo di rimpianto le vasche in cui hanno diguazzato per decenni.

Arriva la doccia. Ci si può sedere e dire il fatidico: «Mi faccio una doccia», non è necessario farla veramente.

F. V.

o con il giro di perle, ma un po' ti conci... Non so chi diceva che l'eleganza va sempre a discapito della comodità. Ecco, adesso noi siamo abituate a stare comode. Per le altre generazioni era diverso. Anche mia mamma ci tiene al vestito della domenica. Ha dei vestiti che tiene lí per le occasioni. Io invece persino le scarpe le metto appena le compro e arrivo a casa con delle vesciche grosse come cuscini: è che io mi vesto per piacere a me, mentre in media le donne si vestono per piacere alle altre donne e in seconda battuta per piacere agli uomini. Le donne della generazione precedente, varcati i trentacinque anni erano delle signore. Giravano con la gonna al ginocchio, i collant beige, le décolleté col tacco quadrato, il filo di perle, la borsetta senza tracolla... poi a una certa età si tingevano addirittura i capelli di azzurro. Non avendo trovato il principe, azzurro, si tingevano i capelli da Fata Turchina (non ho mai capito perché una si debba fare i capelli azzurri, mai. Al limite te li tingi e te li fai del colore che avevi prima, ma perché azzurri?)

FV Piú angosciante o piú appagante il passato? Il primo tacco aveva l'emozione di tutti i primi. La borsetta non prima dei quindici anni. L'attesa era spasmodica. I cambi di stagione erano attesi dalle donne come dagli alberi.
Ci sono altre attese che ci accomunano agli alberi. Le potature.
«Con questo colore mi consigli che accessori mettere?» chiedeva la mamma alla sarta. Per le giovinette il blu. Questo è il colore del passato.

LL A me non piacciono le bambine o le ragazzette che si vestono da signorine. Le bambine che sono già microdonne in miniatura. Purtroppo però la moda per i bambini è cosí. Ho visto dei vestitini con su scritto «Erotic Girl» destinati a delle bambine di quattro o cinque anni, che voglio dire,

CONSIGLI DI POTATURA (I CAPELLI)

Allora, i capelli in genere te li tagli o quando lui ti lascia o quando ti fidanzi. Ma soprattutto quando lui ti lascia tu infierisci sui capelli. Il capello è sempre qualcosa che devi rinnovare, devi cambiare. E poi il capello, anche nelle ragazzine, è un incubo, è sempre stato un incubo. Mi devo lavare i capelli, la frangia, ho i capelli sporchi. È un tunnel.

Noi non è che siamo gente da parrucchiere. Io vado dal parrucchiere se devo fare la tinta o tagliare i capelli. Invece quando appunto sei mollata dal fidanzato vai dal parrucchiere e gli dici: «Fai tu». Dire: «Fai tu» al parrucchiere è come fare bungee-jumping senza elastico. Tu esci e ci hai i capelli mozzati come le cavie. Poi lí per lí stan piú o meno bene, ma poi quando li lavi tu... è un inferno!

Quando ero ragazzetta ho persino fatto la permanente. Ero inguardabile. Poi si usavano quelle trecce che ti giravano intorno a tutta la testa, sai tipo le trecce di pane che vende il panettiere? Uguale. Mi stava male, malissimerrimo. E poi negli anni Ottanta, c'era il taglio tipo Pamela di *Dallas*, tutti scalati, che c'era una specie di bidone aspiratutto che te li tirava su... mamma mia, anche quello... per fortuna non mi sono fatta tante foto! Oppure ci sono quelle che se li tingono. Io ho un'amica che ha i capelli rossi, quasi rosa, e che era in classe con me. E tratta i suoi capelli come fossero delle cavie, fa sempre degli esperimenti, delle tinte pazzesche. Però non in concomitanza con fidanzamenti o separazioni. Lo fa cosí, perché è pazza.

Però il capello è veramente un «luogo» dove tu puoi esprimere te stessa, i tuoi dolori, le tue gioie, le tue ambizioni, i tuoi progetti. Tutto nei capelli.

L. L.

se sei già una *erotic girl*, è un attimo poi finire a
fare la escort.
Noi avevamo quelle magliette a girocollo, Fruit
of the Loom, semplici. Adesso fai fatica a trovare una maglietta che non abbia sopra un paio di
paillette. Sembra che la paillette sia d'obbligo.
Eppure sono una rottura di palle. Perché quelle
cose con le paillette in lavatrice sono un casino,
si strappano, si sminchiano, un macello, devi la-
varle a mano... Ma poi una maglietta devi lavar-
la a mano? La maglietta la metti ogni giorno! E
soprattutto per le bambine non c'è una maglietta
che non sia con fronzoli, pieghine, balze, pizzi e
volant. Per le adolescenti invece il guardaroba è
molto procace: scollature vertiginose, minigonna
giropassera. E dire che l'eleganza sta nel togliere,
nel semplificare il piú possibile. Non bisogna mettere troppa roba in mostra. La vetrina, soprattutto se si è già in saldo, non paga.

FV   Se non si nasconde neanche il reggiseno, cosa
manca a non essere eleganti?
L'eleganza è un modo pensato di vestirsi. Anche
una donna brutta può essere elegante. Nuda solo una bella. In pubblico, s'intende. Il cerchio si
stringe. A guardarsi intorno, si restringerebbe.
È chiaro. Sembra che nessuna si ritenga brutta.
Il nudo impera.

LL   Ci sono stilisti che nelle loro sfilate mettono
ai modelli delle gabbie in testa, delle piume nel
derrière e però quando alla fine escono loro son
vestiti normali, con un girocollo o una maglietta

bianca! E tu dici: scusa, dovresti almeno uscire vestito come Louis XIV, con le scarpe da sultano che girano all'insú. E invece no. Non le mettono. Perché pure loro sanno che l'eleganza è semplice. Hai ragione quando dici che una può essere elegante anche se è brutta, però deve avere una sorta di semplicità, che non è trascuratezza. L'eleganza è una cosa che sta dentro che non c'entra niente con il fuori. Una specie di luccicanza. Per questo, quando sei nuda, viene fuori tutto (comunque spogliarsi al buio è sempre una buona soluzione, assolutamente).

FV   Questo ci conduce al tema del corpo.
La mamma ci portava da piccoli in una palestra, per tenerci vagamente atletici. C'erano molti bambini che potevano permetterselo, e tanti con la scoliosi. Adesso la palestra è uno stile di vita, e fa parte della vita della donna. Facilita il tono muscolare e l'indipendenza, è uno degli strumenti dell'evoluzione della quotidianità femminile. Quindi fanciulle, ultramaggiorenni e ultracinquantenni mischiano i loro sudori e i loro pensieri piú segreti sopra le pedane mobili e le pareti delle docce. È pur sempre un metodo educativo, ma del tutto imprevedibile, anche negli anni Sessanta.
«Ci vediamo in palestra» vuol dire: «Cosí ti racconto tutto».

LL   Il grande problema delle donne di adesso è che non ammettono di invecchiare, per cui non si accettano. Quindi vanno in palestra per mantenersi giovani e hanno un guardaroba che è sempre piuttosto giovanile. Vogliono rimanere sempre pulzelle. E siccome è impossibile, cercano almeno di sembrare sempre giovani. Prima parlavi dei reggiseni. Be', adesso ci sono reggiseni che sono proprio delle corazze e fanno dei bellissimi seni, peccato che quando li togli, alé... rotolando respirando... le cascate del Niagara... Il jeans mettitelo, ma non cosí fasciato, col tacco 12 e la scollatura con le mezze tette molli di fuori (o dure se hai il reggiseno di prima). Si vedono mamme che non si distinguono dalle figlie come look. E a me fanno un po' tristezza questi abiti cosí aggressivi, perché quando hai un look cosí, anche tu caratterialmente diventi carnivora.

FV   Ma come ho fatto a non pensarci? Una cosa capitale mancava all'inquietudine femminile: la chirurgia estetica. Ho un ricordo infantile. Si era parlato a tavola dell'attrice Cécile Sorel, che avevano cosí tirato che non riusciva piú a chiudere la bocca. Grandi risate con mio fratello. La chirurgia ha fatto passi da gigante; qualche connotato rimane tuttavia in pericolo. Ecco un test importante per l'uomo di oggi: la preferisci assurda o la preferisci invecchiata? Negli anni Trenta a lavorare era solo la natura, implacabile.

LL   Anche adesso la natura lavora, non è che non lavori piú. Però l'invecchiamento per me va di tre, quattro anni. Per tre, quattro anni sei piú o meno uguale, poi al quarto anno c'è il crollo. Per quattro anni ti dicono che sei sempre uguale. Poi ti incontrano per strada e non ti dicono niente.

E allora capisci che c'è stato un peggioramento. I segnali dell'invecchiamento sono tremendi. Non sono solo le rughe. C'è anche lo smollacchiamento diffuso, quello fa impressione. Un po' di pancia, anche se tu non hai mai avuto la pancia. Il sottobraccio che diventa passato di verdura. La pelle del ginocchio che fa le pieghe come quella degli elefanti... Ti accorgi che ci possono essere modi per evitare la catastrofe, però vorrebbe dire impiegare troppo tempo e non ce la fai. Dovresti passare la vita a far ginnastica. E poi se non l'hai fatto prima, come fai a farlo dopo? Non sei proprio abituata... Vedi l'ovale del viso che va giú. La vista che cala. Io per ora sono ancora abbastanza fortunata, perché essendo molto miope, da vicino continuo a vederci. Però quando incominci a tenere le braccia rigide per leggere, gli avambracci a Pinocchio, vuol dire che ci siamo. Ed è una cosa che avviene da un giorno all'altro, non è che hai le avvisaglie. Un crollo repentino. *Sbarabaquack...*

La cosa piú grave, però, è che se anche ti fai e ti rifai, lei, la Natura, comunque procede nel suo progetto di invecchiamento. Per cui o ti ritocchi continuamente oppure ti devi rassegnare. Perché quando vedi una con gli zigomi a pallina da ping-pong, è difficile che tu dica: «Com'è giovane!» Casomai dici: «Ma quanto si è rifatta?»

FV Il problema non si ferma lí. Alla crisi del proverbiale rapporto di coppia la plastica non è estranea. Da quando ne fa uso anche lui è un fatale ingombro. Adattare i caratteri al passare degli anni, alla cosiddetta pace dei sensi era il pregio delle donne intelligenti o anche soltanto sensibili, ma proporsi con un'altra faccia è un problema, certamente nuovo. Perché vogliamo sembrare piú giovani? Non certo per i sentimenti, per quelli non esiste plastica. Per chi e per cosa vuoi sembrare piú giovane? Con quelle facce tirate siete due estranei. Sembra che la donna moderna rifiuti la rassegnazione, che era un grande capitolo dell'educazione del passato.

Il fidanzato rompe il fidanzamento quindici giorni prima delle nozze, e le ragioni per un simile gesto spaziavano dalla morte in guerra al fatidico: «Non mi sento pronto». Piú si va indietro negli anni e piú simili vicende sono alla base delle vite di solitarie signorine. Donne rassegnate, spesso dolcissime. Zie, suore laiche, maestre. Per una famiglia era una grande prova consolatoria. La fanciulla veniva accontentata in tutto, si subiva imperterriti anche il rifiuto di un viaggio con la mamma. Si sperava nella prossima villeggiatura; qualche volta risolutiva.

È chiaro che la donna ha imparato a consolarsi da sola. Cambiando sesso, cambiando naso o piú semplicemente cambiando uomo.

Nell'educazione delle fanciulle, sotto questo elegante titolo, non è previsto l'insegnamento alla solitudine. Che è un'attitudine rara, del tutto personale, condivisibile solo col proprio cane o gatto o pensiero. Non ha età. Anche una bambina sa stare sola.

LL   La chirurgia plastica è già poco sopportabile se viene fatta dalle donne, dagli uomini meno che mai. Diventa insostenibile. Non piú credibile. Perché se corri dietro cosí tanto al tuo corpo, vuol dire che sei insoddisfatto, che non stai bene e non ti accetti.

Ci sono un sacco di uomini che si rifanno la pancia. Anche le occhiaie. A volte si rifanno in coppia. Lui e lei. Quando vedo queste mamme che cambiano di continuo faccia o labbra, penso anche ai figli. Perché i figli sono impietosi. I miei figli, per esempio, se mi taglio i capelli cominciano: «Ti sei tagliata i capelli? Come mai?» Oppure mio figlio, che è giusto un filo possessivo: «Ti sei messa la gonna? Perché ti metti la gonna? Non la metti mai... Dove devi andare?» Figurati se mi rifacessi! Finirei nel banco degli imputati.

La chirurgia estetica certe volte ti cambia davvero tanto i connotati. Sei un'altra faccia. Quindi devi prima accettarti tu con un'altra faccia e poi farti accettare dagli altri. Però ci sono casi in cui aiuta. Se hai gli occhi storti o le orecchie a sventola, per esempio, difetti che non dipendono dall'invecchiamento ma da una falla di fabbrica. Io ho un'amica che aveva una sola orecchia a sventola, tipo manico di una tazzina, e l'altra quasi normale. Quindi non poteva rifarsela del tutto e se l'è rifatta leggermente meno a sventola, ma poi sono saltati i punti ed è tornata come prima. L'ha rifatta due o tre volte. Tra l'altro è un'operazione dolorosissima. Una tortura. Ma nei casi normali, per chi e per cosa vuoi sembrare piú giovane? Forse per morire piú tardi possibile. Ma tanto la morte non la freghi mica, neanche col botulino.

FV   Una volta invecchiare era naturale. Mia mamma era bella, quindi era bella anche da vecchia, però le dava un'enorme noia che si dicesse la sua età, e la dà anche a me. L'ultimo compleanno è stato una tragedia. Non c'è limite all'indiscrezione. Però mia mamma non si sarebbe mai sognata di farsi tirare il suo bel viso. Tutto è cominciato con il naso... certo, se una aveva un orribile nasone faceva bene a cercare di rifarlo... ma ritornare bamboline dopo i cinquant'anni, da un giorno all'altro, è grottesco. Mi torna in mente Madame de la Ferté, che in *Bavardages* (vuol dire «chiacchiere») scrisse: «Le donne non hanno ancora capito che i gatti sono piú belli di loro».
Il vero lusso è essere a posto con il proprio senso estetico. Sono felice di non avere l'aspetto tradizionale dei vecchi, né di avere ceduto al rifiuto della realtà, come tante cinquantenni talmente operate da essere bambole frankenstein della chirurgia plastica. Della mia vita non cambierei nulla. Sono senza rimorsi, non ho fatto capricci e ho coltivato una solitudine traversa. Ma mi secca molto dover morire. Ho troppe cose da fare.
Per fortuna, non si muore. Si vive sempre.

LL   Prima hai detto che la donna ha imparato a consolarsi cambiando sesso, uomo o naso. Si tratta sempre di cambiare qualcosa. Però bisogna stare attenti. Mi sembra come quelli che dicono: siccome sto male, faccio un viaggio. Non funziona. Perché tanto i dolori te li porti dietro come bagaglio a mano. Come quelle orchidee che hanno le radici pendenti e le puoi appendere alle finestre. Non è vero che dimentichi. Magari ti distrai, ma non dimentichi, perché se dimentichi sei un cretino.

L'autoconsolazione è un'altra cosa. È come il Cappellaio di Alice che festeggiava il non compleanno, è qualcosa che bisogna imparare e che le donne stanno imparando. Ogni tanto c'è proprio bisogno di farci dei regali. Abbiamo bisogno di premiarci. Imparare a volerci un po' bene. Se non te ne vogliono gli altri, almeno devi volertene tu. Ma è chiaro che tra consolazione, accettazione e rassegnazione il confine è sottile. È un confine di testa. Il naso e le tette non c'entrano. L'accettazione è decidere che prendi questa cosa e la porti con te. Nella rassegnazione c'è invece un deporre le armi che l'accettazione non ha. A volte fai finta che sia accettazione e invece è rassegnazione. Forse all'origine di tutto c'è sempre l'insoddisfazione, l'incapacità di accontentarsi. Siamo troppo portati ad autoanalizzarci, a fare il pelo su come dovrebbe essere, come non è, che potremmo essere meglio. Invece bisogna andare un po' piú per le trippe e non farsi troppe domande. Perché poi non amiamo affatto le risposte. Noi donne non ci riusciamo perché siamo portatrici sane di domande. E di dubbi. Sempre lí a mettersi in discussione, sempre critiche con quello che si fa, quello che si dice.

Forse hai ragione, Franca: ci vorrebbe un insegnamento alla solitudine. Perché la solitudine è necessarissima per fare benzina. Anche se pensarsi proprio sola sola sola, a volte spaventa.

FV   Mi chiedo a titolo informativo quando è entrata in vigore la maleducazione. Direi fra il Sessanta e l'Ottanta. Per le fanciulle, beninteso. Possiamo azzardare che è andata di pari passo con la liberalizzazione. «Sono libera quindi posso dire vaffanculo». Certamente è un equivoco, ma è una realtà. Corrisponde alla dissoluzione delle regole famigliari: tutti a tavola all'ora stabilita, non studiare con i piedi sulla scrivania, non dimenticarsi di far scorrere l'acqua nel gabinetto, salutare papà e mamma prima di uscire (col permesso), controllare la voce al telefono, eccetera. Siccome si può anche mangiare quando fa comodo e portarsi il piatto in cucina o lasciarlo lí sporco in case munite di Cif, si può anche lanciare un «vaffa» se suona il cellulare che non si sa dov'è.

Si sa che l'educazione in realtà dà un bisogno istintivo di autoprotezione, codificata nei secoli da uomini e donne sapienti e altolocati, ma per necessità di ordine quotidiano si era frazionato in una serie di piccole regole che hanno urtato contro nuove necessità vitali.

Mi pare che alla fanciulla non si insegni quasi piú niente, anche mancando ai genitori delle idee chiare sul futuro, il loro e quello dei figli. Se il passato era per la fanciulla una strada con infiniti divieti di sosta che neanche la chiusura dei centri storici crea altrettanti problemi, la subentrata via libera è certamente ragione di altre incertezze. Fino a che punto abusarne? Ecco il problema.

Le famiglie dicono che non hanno a chi rivolgersi, e forse è vero. Certo non alla loro educazione già molto compromessa. Le ragazze si educano da sole. L'autoeducazione femminile è una delle poche novità del secolo. Il ventunesimo.

LL   I miei non avevano la cultura, però mi hanno messo nella condizione di imparare. Questo è fondamentale. Ho fatto tutto da sola e ne sono contenta. Quanto alle regole, certo, ci sono quelle fondamentali di rispetto delle cose, delle persone, di chi sta accanto, del perimetro vicino e di quello un po' più lontano, ma oggi ho imparato che la vita viene e va dove vuole lei. Lo vedo moltissimo in mia figlia più che in mio figlio, che è sempre stato più indipendente. Adesso, che ha cominciato a fare il suo cammino da sola, la vedo molto più felice. Perché è diventata più indipendente e scopre che le piace.
Una cosa che fa molto, e non pensavo, è spendere il tempo facile con loro, gli adolescenti. A volte non c'è bisogno che tu spieghi loro la vita, basta andare insieme a fare la spesa. Puoi anche star zitta. Faccio un esempio. Mio figlio è molto legato a me. L'altro giorno andiamo a fare la spesa e mi dice: «Compriamo la scatola della torta margherita?» «Ma te la insegno io la torta margherita, non c'è bisogno della scatola». E lui: «No, ma io la voglio fare da solo». Va bene, compriamo la scatola (della Cameo). Il giovedí seguente, che era festa, io stavo leggendo e lui salta su dicendo: «Io faccio la torta». Va bene. Gli domando: «Fai da solo?» E lui mi dice che sí, fa da solo, tanto ci sono le istruzioni. Risultato: a un certo punto casa nostra era Seveso. Si è creata una nuvola

di fumo mefitico. Nell'ordine aveva: bruciato la teglia, bruciato la torta e spaccato il frullatore. Sono arrivata in cucina e non sapevo cosa dire. Gli ho tirato una sberletta, così, *plaf*, e ho risolto la pratica.

Qualche giorno dopo sono andata al supermercato, da sola. E ho detto: vabbe', gli ricompro la scatola, così impara a farla. L'indomani eravamo da soli in casa e gli ho proposto: «Dài, facciamo la torta?» E lui: «Eh, ma la facciamo insieme? Tanto ci sono le istruzioni». «Sí, ma non le hai lette bene». Allora l'ho lasciato fare, instradandolo un po', ma senza fare chissà che. Poi l'abbiamo messa in forno e, magia, questa volta l'esperimento è riuscito. E alla fine ci siamo messi a mangiare una fetta di torta con un bel bicchiere di aranciata. Fine della trasmissione. Niente di che. Adesso lui sa fare la torta. E forse prima doveva bruciare la teglia e spaccare il frullatore perché, per come è fatto, è così che doveva fare. Il suo percorso è quello lí. Deve fare da solo, sfrantecare tutto, prendersi una sberla e poi ricominciare, resettato. Se io parto da subito a spiegargli, creo immediatamente il conflitto.

Mia figlia è l'esatto opposto. Lei non ce la fa a fare la torta da sola. Deve farla con me e poi non mi vuole piú e la fa da sola. Per cui le torte, il tempo facile e fare la spesa sono spesso delle buone soluzioni. Anche stare molto zitti perché a volte sei stanca, non ce la fai e loro ti riempiono di quesiti, parole, bisogni. Appena mi vedono che prendo un libro in mano, arrivano: «Lu, senti, volevo dirti una cosa». Lo hai detto all'inizio di questo nostro dialogo: i comportamenti a dispetto delle imposizioni si respirano.

FV Piú si procede in questa «inchiesta», e piú si realizza che avere in casa un giovane essere è sempre un problema, se di sesso femminile è un'incognita. Un virgulto o un terremoto? Il primo richiede la conoscenza delle regole agricole, comunque del giardinaggio. Per il secondo i laboratori sismografici. Le famiglie fino agli albori degli anni Sessanta hanno vissuto nella certezza dei loro principî. La mamma aveva il pollice verde; da allora in poi di fronte a una scienza imprecisa come la sismologia si sono andate lentamente disinteressando. Non che non dispiaccia, certo.

LL Non è come una volta che il maschio era dominante e la femmina subiva. Non ho un'educazione diversa per il maschio e la femmina. Adesso le ragazze devono sapere esattamente cosa succede, e anche i maschi, allo stesso modo. E poi in fondo la donna l'educazione ce l'ha già nel Dna, sa sfangarsela, mentre l'uomo è molto piú fragile, se la cava molto meno. Non è un caso se le donne vedove hanno una nuova fioritura, mentre i vedovi sono depressissimi.
L'altro giorno in panetteria un signore vedovo da poco mi diceva: «Non riesco neanche a farmi la valigia da solo perché mia moglie mi faceva anche quella». Non è piú in grado di fare niente. Al mattino la moglie gli faceva trovare i pantaloni stirati, la camicia pronta, i calzini, le scarpe. Gli uomini sono stati sempre molto piú dipendenti dalle donne

di quanto le donne lo siano dagli uomini. Oggi poi
l'uomo mi sembra ancora piú infantile. Non si può
generalizzare ovviamente, però i maschi mi appaio-
no molto piú confusi, pasticcioni, distratti. A volte
in casa ti ritrovi un altro figlio adolescente. È come
se fosse sempre piú difficile diventare grandi. Come se in giro ci fossero sempre meno maschi adulti.

FV   Ai «miei tempi» si diventava maggiorenni a ven-
tun anni. In fondo era giusto. Quello che ha fatto
la natura entro quei termini è indistruttibile.
Non mi ricordo se le fanciulle parlavano. Intendiamoci, non alludo all'esercizio fonetico puro e
semplice. La facoltà di esprimersi era molto fram-
mentaria e piú o meno cosí suddivisa: le necessità,
la scuola (insomma la ripetizione dell'apprendimen-
to), gli imprevisti confidenziali che non facevano
evidentemente parte dell'educazione.
La compagnia famigliare (padre, madre, nonni, zii,
cugini, fratelli maggiori) parlava con le minori solo
del quotidiano, pronta a stupirsi alla minima de-
roga («Si muore tutti o solo i nonni?», «Abbiamo
imparato una bella poesia sull'amore», «Nella mia
classe sono rimasta l'unica con le trecce»). C'era
un limite temporale per avere opinioni, anche se è
ormai chiaro che questo non significava maturità o
tantomeno cultura. Effettivamente di cosa poteva
parlare la fanciulla se tutti i canali dell'apprendi-
mento le erano preclusi? Il concetto educativo era:
è sempre troppo presto per sapere le cose della vita.
Le minorenni attuali non possono neanche immaginare il grado di disinformazione delle loro antenate
(ormai si può chiamarle cosí). E non alludo soltanto

all'informazione sessuale, ma a tutto quel complesso conoscitivo che rende l'individuo atto a partecipare a tutte le rotture di scatole del quotidiano. Le possibilità mostruose dell'informazione hanno ormai invaso le tenere orecchie non della fanciulla, ma della bambina. I «grandi» non ci provano piú a difenderle. Non fare entrare televisori in casa (è una decisione rarissima e sofferta), nascondere settimanali (negli asili imparano a leggere): sono precauzioni spesso inutili. Tanto vale smettere di educare, nel senso classico del termine.

Il trampolino «fanciulla» non esiste piú. La bambina si butta direttamente nel mare. Vediamo come la pensa Luciana.

Non si è mai saputo che l'informazione sviluppi l'intelligenza o serva, come si dice oggi a ogni piè sospinto, «a far crescere». Le fanciulle avevano nella loro educazione i capisaldi: parlare con parsimonia, non intervenire nei discorsi dei grandi, fare precedere il termine «signore» o «signora» al cognome degli amici dei genitori, non parlare di cose che non si sa cosa vogliono dire o cosa sono. L'eloquio era di conseguenza limitato e circoscritto. Era anche in uso nelle buone famiglie abbassare la voce e farsi dei cenni quando la conversazione entrava in argomenti non dico scandalosi, ma almeno delicati.

La parlata torrenziale e quasi giornalistica delle fanciulle attuali è conseguenza soltanto dell'orecchiabilità dei mezzi di comunicazione. Non sempre la ragazza sa perché un compleanno di amici secondo lei è «epocale» o perché la voce di mamma quando telefona ha «un'intensità tematica» insopportabile.

Dobbiamo concludere che la formazione dell'uso della parola in età giovanile non è mai stata libera nelle «migliori famiglie».

LL Oggi non si passa piú dalla fanciullezza alla pre-adolescenza e di lí all'adolescenza, ma si passa dall'essere bambina all'essere donna. È vero. È reale ed è molto pericoloso. È come se i ragazzini dovessero già sapere tutto fin dall'inizio. Ti diamo tutte le informazioni, poi fanne quello che vuoi. Anche questo è rischioso. Perché poi sai tutto, ma malamente. In effetti tu vedi le bambine in quinta elementare che sono ancora bambine, e improvvisamente in prima media sono delle donne. A me fa paura. Soprattutto per le ragazze. Perché i ragazzi rimangono pirla e bamboccioni per tanti, tantissimi anni. Invece le femmine sono subito femmine e iniziano a vestirsi in un certo modo e diventano obiettivi anche dei maschi piú grandi. Spesso si fidanzano con maschi adulti quando sono veramente delle bambine. Hanno le modalità della donna grande, ma sono delle babbioncelle piccolissime. Però ormai è cosí. Ricordo che quando ero piccola mia mamma mi diceva: «I collant te li puoi mettere solo in terza media». Invece adesso le ragazzine i collant li mettono subito. A partire dai tre mesi. Come se tutto si risolvesse nell'avere le cose e nel farle nel presente. Senza un progetto di crescita. Senza degli scalini da salire.

E infatti quello che manca crescendo, e che bisogna invece sempre avere, è un progetto. Che non è il progetto cattolico di fare chissà che: è il progetto di fare delle cose insieme. Questo mulino che sei tu e che fa girare le pale, deve avere intanto l'energia per girare, e poi per macinare, per produrre la farina. Bisogna avere dei progetti, dei movimenti d'animo, delle ambizioni, anche piccole. Non stare lí ad aspettare come fanno tanti che si sposano, poi diventano dei borghesi noiosi che non fanno niente se non cene noiose e vacanze noiose e poi aspettano di morire. Capirai che figata! Per quanto mi riguarda, non escluderei anche di fare altre cose. Di cambiare lavoro. Non so dove mi porterà la vita, se mi darà narcisi o tulipani, quello che so è che voglio essere viva da viva. Un'altra cosa che ho capito è che la vita è proprio come il Monopoli. Ogni tanto devi tornare indietro e passare dal Via. E qualcuno va anche in prigione, nonostante il legittimo impedimento. La bellezza è che ci sono gli imprevisti e le probabilità che danno vita alla vita. Mi sembra che l'educazione delle fanciulle sia tutta qui. Impegnarsi a essere vive da vive. Come se tutto fosse di nuovo da inaugurare. E gli occhi ti si riempiono di bougainvillee fiorite.

FV Il titolo del nostro libro mi fa ricordare le parole di Lorenzo Da Ponte (Mozart, *Cosí fan tutte*, aria di Despina):

Una donna a quindici anni
dèe saper ogni gran moda,
dove il diavolo ha la coda,
cosa è bene e mal cos'è.

Era già detto tutto.

Franca Valeri e Luciana Littizzetto

Piccola doppia intervista istantanea

Un libro, un film, una canzone che fanno crescere.

L'espressione «far crescere» non l'ho mai capita. Se ci fosse un libro, una canzone o un film con questa capacità, sarei certo molto piú alta.

Concordo con Franca. Anch'io non ne ho trovati. Si vede.

L'uomo ideale e l'uomo letale.

Dunque: alto (be', sí), magro (non è detto), nero, biondo o rosso non importa, purché abbia i capelli; educato, quindi intelligente; non avaro. Il letale è anche volgare.

Ideale? Intelligente, generoso, spiritoso e bellino.
Letale? Un uomo che sa di cane bagnato.

Un biglietto di addio, per un no gentile ma fermo.

10 gennaio.
Caro, mi sembra impossibile rivederti, ho un periodo sovraccarico di impegni. Risentiamoci dopo Capodanno.

Tu per me sei come un fiume in piena.
Fangoso e pieno di carcasse morte.

Gli indumenti da evitare.

Sarebbero stati pantaloni a vita bassa e minigonna, ma quando ero in questione non si usavano.
Per lui: maglioncini a girocollo molto variopinti.

Per lei: il tanga a filo del telefono che sbuca dai jeans.
Per lui: il pigiama di leacril tinta guano con polsini e cavigliere *ton sur ton* maròn.

Un manicaretto?

Poiché queste note vagamente faziose sono inerenti al rapporto fanciulla-uomo, non mi spreco a immaginare un manicaretto prelibato. Agli uomini non piacciono.

La pasta al forno surgelata, di qualsiasi marca. Al maschio piace sempre. Poi lo appesantisce giusto quel filo che lo rende preda piú facile.

La bomboniera da consigliare alla giovane sposa?

Anche la bomboniera è in declino. Un tempo erano oggetti da tenere in salotto, oggi un pretesto per fare gli spiritosi.

Opterei per un grattino di quelli con cui in inverno si pulisce il parabrezza. Utile, poco costoso, e per niente ingombrante.

Quanto contano gli altri
in un rapporto d'amore?

Curiosa curiosità: ogni famiglia ha i suoi caratteri.
Mia madre non ha mai avuto rapporti con quelle che potrei chiamare consuocere.
Gli amici di lui si condividono con piacere. Per qualcuno però non ce la fai.
Lui è piú tollerante con quelle di lei; se non sono brutte.

Forse all'inizio, quando ti presentano il rispettivo futuro partner.
Dopo, meglio che si facciano un po' da parte.

E le donne (madri, sorelle,
amiche, amanti) di lui?

Un paio si salvano.
Forse anche meno.
Una cognata.

Dipende. Dal tuo livello di gelosia.

Meglio una lettera d'amore o una serenata?

Ci sono cose che non esistono piú. Tra queste le lettere d'amore e le serenate. Perché perdere tempo a immaginarle? Per le lettere supplisce il telefono. Se è amore, l'impazienza di comunicare ammortizza la spesa del cellulare, anche internazionale.

Quanto alla serenata, comunque la metti le hanno sempre fatte gli uomini.

Meglio la lettera.
Va benissimo anche una email.
Al limite ci si adatta pure a un Sms.
La serenata no.
Forse un Cd di Sakamoto. Ecco. O le sonate di Skrjabin.

Ci sono buoni motivi per rifarsi?

Non dovrebbero esserci motivi per rifarsi al passare del tempo. Considerando il progresso della scienza estetica, è ammessa qualche correzione. Inevitabile quanto avvilente l'esclamazione fatale: «È tutta rifatta!» È certo che nessuno pensa che hai vent'anni di meno; forse dieci di piú.

Rifarsi la faccia, pochi. Rifarsi una vita? Moltissimi.

Le bugie da dire a un uomo.

A un uomo si possono raccontare molte bugie, perché non ascolta molto. Fatica spesso sprecata di cui si compiace la fantasia femminile. Confessare un tradimento dopo un castello di bugie può suscitare anche una domanda: «Come?!»

«Mi sembri dimagrito». Con questa bugia qua ti si spalancano tutte le porte. Dopo puoi fare tutto quel che ti pare.

Indice

*Questo libro è stampato su carta certificata FSC
e con fibre provenienti da altre fonti controllate.*

MISTO
Carta da fonti gestite
in maniera responsabile
FSC® C018290

*Stampato per conto della Casa editrice Einaudi
presso Mondadori Printing S.p.a., Stabilimento N. S. M., Cles (Trento)
nel mese di novembre 2011*

C.L. 20943

Edizione								Anno			
1	2	3	4	5	6	7		2011	2012	2013	2014